邊　城

沈從文著

香港　鴻光書店　印行

題記

對於農人與兵士，懷了不可言說的溫愛，這點感情在我一切作品中，隨處都可以看出，我從不隱諱這點感情。我生長於作品中所寫到的那類小鄉城，我的祖父，父親，以及兄弟，全列身軍籍；死去的莫不在職務上死去，不死的也必然的將在職務上終其一生。就我所接觸的世界一面，來敘述他們的愛憎與哀樂，卽或這枝筆如何笨拙，或尚不至於離題太遠。因爲他們是正直的，誠實的，生活有些方面極其偉大，有些方面又極其平凡，性情有些方面極其美麗，有些方面又極其瑣碎，——我動手寫他們時，爲了使其更有人性，更近人情，自然便老老實實的寫下去。但因此一來，這作品或者便不免成爲一種無益之業了。因爲它對於在都市中生長、受教育的讀書人說來，似乎相去太遠了。他們的需要應當是另外一種作品，我知道的。

照目前風氣說來，文學理論家，批評家，及大多數讀者，對於這種作品是極容易引起不愉快的感情的。前者表示「不落伍」，告給人中國不需要這類作品，後者「太担心落伍」，目前也不願意讀這類作品。這自然是眞事。「落伍」是什麼！一個有點理性的人，也許就永遠無法明白，但多數人誰不害怕「落伍」？我有句話想說：「我這本書不

是爲這種多數人而寫的。」一大凡念了三五本關於文學理論文學批評問題的洋裝書籍，或同時還念過一大堆古典與近代世界名作的人，他們生活的經驗，却常常不許可他們在「博學」之外，還知道一點點中國另外一個地方另外一種事情。因此這個作品即或與當前某種文學理論相符合，批評家便加以各種讚美，這種批評其實仍然不免成爲作者的侮辱。他們既並不想明白這個民族眞正的愛憎與哀樂，便無法說明這個作品的得失，——這本書不是爲他們而寫的。關於文藝愛好者呢，或是大學生，或是中學生，分佈於國內人口較密的都市中，常常很誠實天眞的，把一部分極可寶貴的時間，用來閱讀國內新近出版的文學書籍。他們爲一些理論家，批評家，聰明出版家，以及習慣於說謊造謠的文壇消息家，同力協作造成的一種習氣所控制，所支配；他們的生活，同時又實在與這個作品所提到的世界相去太遠了。——他們不需要這種作品，這本書也就並不希望得到他們。理論家有各國出版物中的文學理論可以參證，不愁無話可說；批評家有他們欠了點兒小恩小怨的作家與作品，夠他們去毁譽一世。大多數的讀者，不問趣味如何，信仰如何，皆有作品可讀；正因爲關心讀者大衆，不是便有許多人，據說爲讀者大衆，永遠如陀螺在那里轉變嗎？這本書的出版，即或並不爲領導多數的理論家與批評家所棄，被領導的多數讀者又並不完全放棄它，但本書作者，却早已存心把這個「多數」放棄了。

我這本書只預備給一些「本身已離開了學校，或始終就無從接近學校，還認識些中國文字，置身於文學理論，文學批評，以及說謊造謠消息所達不到的那種職務上，在那個社會裏生活，而且極關心全個民族在空間與時間下所有的好處與壞處」的人去看。他們眞知道當前農村是什麼，想知道過去農村有什麼，他們必也願意從這本書上同時還知道點世界一小角隅的農村與軍人。我所寫到的世界，即或在他們全然是一個陌生的世界，然而他們的寬容，他們向一本書去求取安慰與知識的熱忱，卻一定使他們能夠把這本書很從容讀下去的。我並不即此而止，還預備給他們一種對照的機會，將在外一個作品裏，來提到二十年來的內戰，使一些首當其衝的農民，性格靈魂被大力所壓，失去了原來的樸實、勤儉、和平、正直的型範以後，成了一個什麼樣子的新東西：他們受橫征暴斂以及鴉片烟的毒害，變成了如何窮困與懶惰！我將把這個民族爲歷史所帶，走向一個不可知的命運中前進時，一些小人物在變動中的憂患，與由於營養不足所產生的「活下去」以及「怎樣活下去」的觀念和欲望，來作樸素的叙述。我的讀者應是有理性，而這點理性便基於對中國現社會變動有所關心，認識這個民族的過去偉大處與目前墮落處，和各在那里很寂寞的從事於民族復興大業的人。這作品或者只能給他們一點懷古的幽情，或者只能給他們一次苦笑，或者又將給他們一個噩夢，但同時說不定，也許尚能給他們一種勇氣同信心！

一

由四川過湖南去，靠東有一條官路。這官路將近湘西邊境到了一個地方名爲「茶峒」的小山城時，有一小溪，溪邊有座白色小塔，塔下住了一戶單獨的人家。這人家只一個老人，一個女孩子，一隻黃狗。

小溪流下去，繞山岨流，約三里便滙入茶峒大河，人若過溪越小山走去，則只一里路就到了茶峒城邊。溪流如弓背，山路如弓弦，故遠近有了小小差異。小溪寬約廿丈，河牀爲大片石頭作成。靜靜的河水卽或深到一篙不能落底，卻依然清澈透明，河中游魚來去皆可以計數。小溪既爲川湘來往孔道，限於財力不能搭橋，就安排了一隻方頭渡船，這渡船一次連人帶馬，約可以載二十位搭客過河，人數多時則反復來去。渡船頭豎了一枝小小竹竿，掛着一個可以活動的鐵環，溪岸兩端水面橫牽一段廢纜，有人過渡時，把鐵環掛在廢纜上，船上人就引手攀緣那條纜索，慢慢的牽船過對岸去，船將攏岸時，管理這渡船的，一面口中嚷着「慢點慢點」，自己霍的躍上了岸，拉着鐵環，於是人貨牛馬全上了岸，翻過小山不見了。渡頭爲公家所有，故過渡人不必出錢，有人心不安，抓了一把錢擲到船上時，管渡船的必爲一一拾起，依然塞到那人手心裏去，儼然吵

嘴時的認眞神氣：「我有了口糧，三斗米，七百錢，夠了！誰要這個？」

但不成，凡事求個心安理得，出氣力不受酬誰好意思，不管如何還是有人要把錢的。管船人卻情不過，也爲了心安起見，便把這些錢託人到茶峒去買茶葉和草烟，將茶峒出產的上等草烟，一紮一紮掛在自己腰帶邊，過渡的誰需要這東西必慷慨奉贈。有時從神氣上估計那遠路人對於身邊草烟引起了相當的注意時，這弄渡船的便把一小束草烟扎到那人包袱上去，一面說：「大哥，不吸這個嗎？這好的，這妙的，看樣子不成材，巴掌大葉子，味道蠻好，送人也很合式！」茶葉則在六月裏放進大缸裏去，用開水泡好，給過路人隨意解渴。

管理這渡船的，就是住在塔下的那個老人。活了七十年，從二十歲起便守在這小溪邊，五十年來不知把船來去渡了若干人。年紀雖那麼老了，骨頭硬硬的，本來應當休息了，但天不許他休息，他彷彿便不能夠同這一份生活離開。他從不思索自己職務對於本人的意義，只是靜靜的很忠實的在那里活下去。代替了天，使他在日頭升起時，感到生活的力量，當日頭落下時，又不至於思量與日頭同時死去的，是那個伴在他身旁的女孩子。他唯一的朋友是一隻渡船和一隻黃狗，唯一的親人便只那個女孩子。

女孩子的母親，老船夫的獨生女，十五年前同一個茶峒軍人，唱歌相熟後，很秘密

的背着那忠厚爸爸發生了曖昧關係。有了小孩子後，這屯戍兵士便想約了她一同向下游逃去。但從逃走的行爲上看來，一個違悖了軍人的責任，一個却必得離開孤獨的父親。經過一番考慮後，屯戍兵見她無遠走勇氣，自己也不便毀去作軍人的名譽，就心想：一同去生既無法聚首，一同去死應當無人可以阻攔，首先服了毒。女的却關心腹中一塊肉，緊不出主張。事情業已爲作渡船夫的父親知道，父親却不加上一個有分量的字眼兒，只作爲並不聽到過這事情一樣，仍然把日子很平靜的過下去。女兒一面懷了羞慚，一面却懷了憐憫，依舊守在父親身邊，待到腹中小孩生下後，却到溪邊故意喫了許多冷水死去了。在一種奇蹟中這遺孤居然已長大成人，一轉眼間便十三歲了。爲了住處兩山多篁竹，翠色逼人而來，而船夫隨便給這個可憐的孤雛，拾取了一個近身的名字，叫作「翠翠」。

翠翠在風日裏長養着，故把皮膚變得黑黑的，觸目爲青山綠水，故眸子清明如水晶。自然既長養她且教育她，爲人天眞活潑，處處儼然如一隻小獸物。人又那麼乖，如山頭黃麂一樣，從不想到殘忍事情，從不發愁，從不動氣，平時在渡船上遇陌生人對她有所注意時，便把光光的眼睛瞅着那陌生人，作成隨時皆可舉步逃入深山的神氣，但明白了面前的人無壞心後，就又從從容容的在水邊玩耍了。

老船夫不論晴雨，必守在船頭，有人過渡時，便畧彎着腰，兩手緣引了竹纜，把船橫渡過小溪。有時疲倦了，躺在臨溪大石小睡着了，有人在隔岸招手喊過渡，翠翠不讓祖父起身，就跳下船去，很敏捷的替祖父把路人渡過溪，一切皆溜刷在行，從不誤事。有時又與祖父、黃狗一同在船上，過渡時與祖父一同動手牽纜索，船將近岸邊，祖父正向客人招呼：「慢點，慢點」時，那隻黃狗便口銜繩子，最先一躍而上，且儼然懂得如何方爲盡職似的，把船繩緊銜着拖船攏岸。

風日清和的天氣，無人過渡，鎮日長閒，祖父同翠翠便坐在門前大岩石上曬太陽，或把一段木頭從高處向水中抛去，嗾使身邊黃狗從岩石高處躍下，把木頭銜回來。或翠翠與黃狗皆張着耳朵，聽祖父說些城中多年以前的戰爭故事。或祖父同翠翠兩人，各把小竹作成的豎笛，逗在嘴邊吹着迎親送女的曲子，過渡人來了，老船夫放下了竹管，獨自跟到船邊去，橫溪渡人，在岩上的一個，見船開動時，於是銳聲喊着：

「爺爺，爺爺你聽我吹——你唱！」

爺爺到溪中央便很快樂的唱起來，啞啞的聲音同竹管聲，振蕩在寂靜空氣裏，溪中彷彿也熱鬧了些。實則歌聲的來復，反而使一切更寂靜。

有時過渡的是從川東過茶峒的小牛，是羊群，是新娘子的花轎，翠翠必爭着作渡船

夫，站在船頭，懶懶的攀引纜索，讓船緩緩的過去，牛羊花轎上岸後，翠翠必跟着走，送隊伍上山，站到小山頭，目送這些東西走去很遠了，方回轉船上，把船牽靠近家的岸邊。且獨自低低的學小羊叫着，學母牛叫着，或採一把野花縛在頭上，獨自裝扮新娘子。

茶峒山城只隔渡頭一里路，買油買鹽時，逢年過節祖父得喝一杯酒時，祖父不上城，黃狗就伴同翠翠入城裏去備辦東西。到了買雜貨的鋪子裏，有大把的粉條，大缸的白糖，有炮仗，有紅蠟燭，莫不給翠翠一種很深的印象，回到祖父身邊，總把這些東西說個半天。那里河邊還有許多船，全比起渡船來大得多，有趣味得多，翠翠也不容易忘記。

二

茶峒地方憑水依山築城，近山一面，城牆儼然如一條長蛇，緣山爬去。臨水一面則在城外河邊留出餘地設碼頭，灣泊小小篷船。船下行時運桐油青鹽，染色的五棓子。上行則運棉花，棉紗，以及布匹雜貨同海味。貫串各個碼頭有一條河街，人家房子多一半着陸，一半在水，因爲餘地有限，那些房子莫不設有弔腳樓。河中漲了春水，到水腳漸進街後，河街上人家，便各用長長的梯子，一端搭在自家屋簷口，一端搭在城牆上，人人皆罵着嚷着，帶了包袱，鋪蓋，米缸，從梯子上進城裏去，等待水退時，方又從城門口出城。某一年水若來得特別猛一些，沿河弔腳樓，必有一處兩處爲大水衝去，大家皆在城上頭呆望，損失的也同樣呆望着，對於所受的損失彷彿無話可說，與在自然安排下，眼見其他無可挽救的不幸來時相似。漲水時在城上還可望着驟然展寬的河面，流水浩浩蕩蕩，隨同山水從上流浮沉而來的有房子，牛，羊，大樹。於是在水勢較緩處，稅關躉船前面，便常常有人駕了小舢舨，一見河心浮沉而來的是一匹牲畜，一段小木，或一隻空船：船上有一個婦人或一個小孩哭喊的聲音，便急急的把船槳去，在下游一些迎着了那個目的物，把它用長繩繫定，再向岸邊槳去。這些勇敢的人，也愛利，也仗

義，同一般當地人相似。不拘救人救物，却同樣在一種愉快冒險行爲中，做得十分敏捷勇敢，使人見及不能不爲之喝彩。

那條河水便是歷史上知名的酉水，新名字叫作白河，白河到辰州與沅水滙流後，便略顯渾濁，有出山泉水的意思。若溯流而上，則三丈五丈的深潭皆清澈見底。深潭中爲白日所映照，河底小小白石子，有花紋的瑪瑙石子，全看得明明白白。水中游魚來去，皆如浮在空氣裏。兩岸多高山，山中多可以造紙的細竹，長年作深翠顏色，迫人眼目。近水人家多在桃杏花裏，春天時只需注意，凡有桃花處必有人家，凡有人家處必可沽酒。夏天則曬晾在日光下耀目的紫花布衣袴，可以作爲人家所在的旗幟。秋冬來時，人家房屋在懸崖上的，濱水的，無不朗然入目，黃泥的牆，烏黑的瓦，位置却永遠那麼妥貼，且與四圍環境極其調和，使人迎面得到的印象，實在非常愉快。一個對於詩歌圖畫稍有興味的旅客，在這小河中，蜷伏於一隻小船上，作三十天的旅行，必不至於感到厭煩。正因爲處處有奇蹟可以發現，自然的大胆處與精巧處，無一地無一時不使人神往傾心。

白河的源流，從四川邊境而來，從白河上行的小船，春水發時可以直達川屬的秀山。但屬於湖南境界的，茶峒算是最後一個水碼頭。這條河水的河面，在茶峒時雖寬約半里，當秋冬之際水落時，河牀流水處還不到二十丈，其餘只是一灘青石。小船到此

後，既無從上行，故凡川東的進出口貨物，皆從這地方落水起岸。出口貨物具由腳夫用杉木扁担壓在肩膊上挑擡而來，入口貨物莫不從這地方成束成担的用人力搬去。

這地方城中只駐紮一營由昔年綠營屯丁改編而成的戍兵，及五百家左右的住戶。（這些住戶中，除了一部分擁有了些山田同油坊，或放帳屯油、屯米、屯綿紗的小資本家外，其餘多數皆爲當年屯戍來此有軍籍的人家。）地方還有個釐金局，辦事機關在城外河街下面小廟裏，局長住城中。一營兵士駐紮老參將衙門，除了號兵每天上城吹號玩，使人知道這裏還駐有軍隊以外，兵士皆彷彿並不存在。冬天的白日裏，到城裏去，便只見各處人家門前皆晾曬有衣服同青菜，紅薯多帶藤懸掛在屋簷下。用棕衣作成的口袋，裝滿了栗子，榛子，和其他硬殼果，也多懸掛在簷口下。屋角隅各處有大小鷄叫着玩着。間或有甚麼男子，佔據在自己屋前門限上鋸木，或用斧頭劈樹，把劈好的柴堆到敞坪裏去如一座一座寶塔。又或可以見到幾個中年婦人，穿了漿洗得極硬的藍布衣裳，胸前掛有白布扣花圍裙，躬着腰在日光下一面說話一面作事。一切總永遠那麼靜寂，所有人民每個日子皆在這種不可形容的單純寂寞裏過去。一分安靜增加了對於「人事」的思索力，增加了夢，在這小城中生存的，各人自然也一定皆在分定的一份日子裏，懷了對於人事愛憎必然的期待。但這些人想些甚麼？誰知道。住在城中較高處，門前一站便

可以眺望對河以及河中的景緻，船來時，遠遠的就從對河灘上看著無數牽夫。那些牽夫也有從下游地方，帶了細點心洋糖之類，攏岸時却拿進城中來換錢的。船來時，小孩子的想像，應當在那些拉船人一方面。大人呢，孵一巢小鷄，養兩隻豬，託下行船夫打副金耳鐶，帶兩丈官青布，或一罎好醬油，一個雙料的美孚燈罩回來，便佔去了大部分作主婦的心了。

這小城裏雖那麼安靜和平，但地方既爲川東商業交易接頭處，故城外小小河街，情形却不同了一點。也有商人落腳的客店，坐鎮不動的理髮館。此外飯店，雜貨鋪，油行，鹽棧，花衣莊，莫不各有一種地位，裝點了這條河街。還有賣船上檀木活車竹纜與鍋罐鋪子，介紹水手職業喫碼頭飯的人家。小飯店門前長案上，常有煎得焦黃的鯉魚豆腐，魚身上裝飾了紅辣椒絲，臥在淺口砵頭裏，砵旁大竹筒中插着大把朱紅筷子，不拘誰個願意花點錢，這人就可以傍了門前長案坐下來，抽出一雙筷子揑到手上，那邊一個眉毛扯得極細臉上擦了白粉的婦人，就走過來問：「大哥，副爺，要甜酒？要燒酒？」男子火焰高一點的，諧趣的，對內掌櫃有點思意的，必故意裝成生氣似的說：「喫甜酒？又不是小孩子，還問人喫甜酒！」那麼，劇烈的燒酒，從大甕裏用木濾子舀出，倒進土碗裏，即刻就來到身邊案桌上了。這燒酒自然是濃而且香的，能醉倒一個漢子的，所以

照例也不會多喫。雜貨舖賣美孚油，及點美孚油的洋燈，與香燭紙張。油行屯桐油。鹽棧堆四川火井出的青鹽。花衣莊則有白棉紗、大布、棉花，以及包頭的黑縐綢出賣。賣船上用物的，百物羅列，無所不備，且間或有重至百斤以外的鐵錨，擱在門外路旁，等候主顧問價的。專以介紹水手爲事業，喫水碼頭飯的，在河街的家中，終日大門必敞開着，常有穿青羽緞馬褂的船主與毛手毛腳的水手進出，地方像茶館却不賣茶，不是烟館又可以抽烟。來到這裏的，雖說所談的是船上生意經，然而船隻的上下，划船拉牽人大都有個一定規矩，不必作數目上的討論。他們來到這里大多數倒是在「聯歡」。以「龍頭管事」作中心，談論點本地時事，兩省商務上情形，以及下游的「新聞」。邀會的，集款時大多數皆在此地，爬骰子看點數多少輪作會首時，也常常在此舉行。眞眞成爲他們生意經的，有兩件事：買賣船隻，買賣媳婦。

大都市隨了商務發達而產生的某種寄食者，因爲商人的需要，水手的需要，這小小邊城的河街，也居然有那麼一羣人，聚集在一些有吊腳樓的人家。這種小婦人不是從附近鄉下弄來，便是隨同川軍來湘流落後的婦人，穿了假洋綢的衣服，印花標布的袴子，把眉毛扯得成一條細綫，大大的髮髻上敷了香味極濃俗的油類，白日裏無事，就坐在門口小櫈子上做鞋子，在鞋尖上用紅綠絲綫挑繡雙鳳，一面看過往行人，消磨長日。或靠

在臨河窗口上看水手起貨，聽水手爬桅子唱歌。到了晚間，却輪流的接待商人同水手，切切實實盡一個妓女應盡的義務。

由於邊地的風俗淳樸，便是作妓女，也永遠那麼渾厚，遇不相熟的主顧，做生意時得先交錢，數目弄清楚後，再關門撒野，人既相熟後，錢便在可有可無之間了。妓多靠四川商人維持生活，但恩情所結，却多在水手方面。感情好的，別離時互相咬着嘴唇咬着頸頰發了誓，約好了「分手後各人皆不許胡鬧」，四十天或五十天，在船上浮着的那一個，同在岸上蹲着的這一個，便皆呆着打發這一堆日子，儘把自己的心緊緊縛定遠遠的一個人。尤其是婦人，情感眞摯癡到無可形容，男子過了約定時間不回來，做夢時，就總常常夢船攏了岸，那一個人搖搖蕩蕩的從船跳板到了岸上，直向身邊跑來，或日中有了疑心，則夢裏必見那個男子在桅子上向另一方面唱歌，却不理會自己。性格弱一點兒的，接着就在夢裏投河吞鴉片烟，性格强一點兒的，便手執菜刀，直向那水手奔去。他們生活雖那麼同一般社會疏遠，但是眼淚與歡樂，在一種愛憎得失間，揉進了這些人生活裏時，也便同另外一片土地另外一些人相似，一個身心爲那點愛憎所浸透，見寒作熱，忘了一切。若有多少不同處，不過是這些人更眞切一點，也更加胡塗一點罷了。短期的包定，長期的嫁娶，一時間的關門，這些關於一個女人身體上的交易，由於民情的

淳樸，身當其事的不覺得如何下流可恥，旁觀者也就從不用讀書人的觀念，加以指摘與輕視。這些人既重義輕利，又能守信自約，即便是娼妓，也常常較之知羞恥的城市中人更可信任。

掌水碼頭的名叫順順，一個前清時便在營伍中混過日子來的人物，革命時在著名的陸軍四十九標做個什長。同樣做什長的，有因革命成了偉人名人的，有殺頭碎屍的，他却帶着少年喜事得來的腳瘋痛，回到了家鄉，把所積蓄的一點錢，買了一條六槳白木船，租給一個窮船主，代人裝貨在茶峒與辰州之間來往。運氣好，半年之內船不壞事，於是他從所賺的錢上，又討了一個略有產業的白臉黑髮小寡婦。因此一來，數年後，在這條河上，他就有了八隻船，一個妻子，兩個兒子了。

但這個大方灑脫的人，事業雖十分順手，却因歡喜交朋結友，慷慨而又能濟人之急，便不能同販油商人一樣大大發作起來。自己既在糧子裏混過日子，明白出門人的甘苦，理解失意人的心情，故凡船隻失事破產的船家，過路的退伍兵士，游學文墨人，凡到了這個地方，聞名求助的莫不盡力幫助。一面從水上賺來錢，一面就這樣灑脫散去。這人雖然腳上有點小毛病，還能泅水，走路難得其平，爲人却那麼公正無私。水面上各事原本極其簡單，一切都爲一個習慣所支配，誰個船碰了頭，誰個船妨害了別一人、別

一隻船的利益，照例有習慣方法來解決。惟運用這種習慣規矩排調一切的，必需一個高年碩德的中心人物。某年秋天，那原來執事的人死去了，順順作了這樣一個代替者。那時他還只五十歲，爲人既明事明理，正直和平，又不愛財，故無人對他年齡懷疑。

到如今，他的兒子大的已十六歲，小的已十四歲，兩個年青人皆結實如小公牛，能駕船，能泅水，能走長路。凡從小鄉城裏出身的青年所能夠作的事，他們無一不作，作去無一不精。年紀較長的，性情如他們爸爸一樣，豪放豁達，不拘常套小節。年幼的則氣質近於那個白臉黑髮的母親，不愛說話，眼眉却秀拔出羣，一望即知其爲人聰明而又富於感情。

兩兄弟既年已長大，必需在各一種生活上來訓練他們的人格，作父親的就輪流派遣兩個小孩子各處旅行；向下行船時，多隨了自己的船隻充夥計，甘苦與人相共。蕩槳時選最重的一把，揹縴時拉頭縴二縴，喫的是乾魚、辣子、臭酸菜，睡的是硬幫幫的艙板。向上行從旱路走去，則跟了川東客貨，過秀山龍潭酉陽作生意，不論寒暑雨雪，必穿了草鞋按站趕路。且佩了短刀，遇不得已必需動手，便霍的把刀抽出，站到空潤處去，等候對面的一個，繼着就同這個人用肉搏來解決。幫裏的風氣，既爲「對付仇敵必需用刀，聯結朋友也必需用刀」，故需用刀時，他們也就從不讓它失去那點機會。學貿

易，學應酬，學習到一個新地方去生活，且學習用刀保護身體同名譽，教育的目的，似乎在使兩個孩子學得做人的勇氣與義氣。一分教育一分結果，弄得兩個人皆結實如老虎，却又和氣親人，不驕惰，不浮華，不依勢凌人，故父子三人在茶峒邊境上，爲人所提及時，人人對這個名姓無不加以一種尊敬。

作父親的當兩個兒子很小時，就明白大兒子一切與自己相似，却稍稍見得溺愛那第二個兒子。由於這點不自覺的私心，他把長子取名天保，次子取名儺送。天保佑的在人事上或不免有齟齬處，至於儺神所送來的，照當地習氣，人更不能稍加輕視了。儺送美麗得很。茶峒船家人拙於讚揚這種美麗，只知道爲他取出一個渾名爲「岳雲」。雖無甚麼人親眼看到過岳雲，一般的印象，却從戲臺上小生岳雲，得來一個相近的神氣。

兩省接壤處，十餘年來主持地方軍事的，注重在安輯保守，處置極其得法，並無變故發生。水陸商務既不至於受戰爭停頓，也不至於爲土匪影響，一切莫不極有秩序，人民也莫不安份樂生。這些人，除了家中死了牛，翻了船，或發生別的死亡大變，爲一種不幸所絆倒，覺得十分傷心外，中國其他地方正在如何不幸中掙扎的情形，似乎就永遠不會爲這邊城人民所感到。

三

邊城所在一年中最熱鬧的日子，是端午、中秋與過年，三個節日，過去三五十年前如何興奮了這地方人，直到現在，還毫無什麼變化，仍是那地方居民的最有意義的幾個日子。

端午日，當地婦女小孩子，莫不穿了新衣，額角上用雄黃蘸酒畫了個「王」字。任何人家到了這天必可以喫魚喫肉。大約上午十一點鐘左右，全茶峒人就喫了午飯，把飯喫過後，在城裏住家的，莫不倒鎖了門，全家出城到河邊看划船。河街有熟人的，可到河街吊腳樓門口邊看，不然就站在稅關門口與各個碼頭上看。河中龍船以長潭某處作起點，稅關前作比賽競爭的終點。因爲這一天軍官、稅官以及當地有身份的人，莫不在稅

關前看熱鬧。划船的事各人在數天以前就早有了準備，分組分幫各自選出了若干身體結實手腳伶俐的小夥子，在潭中練習進退。船隻的形式，與平常木船大不相同，形體一律又長又狹，兩頭高高翹起，船身繪着朱紅顏色長綫，平常時節多擱在河邊乾燥洞穴裏，要用它時，拖下水去。每隻船可坐十二個到十八個槳手，一個帶頭的，一個鼓手，一個鑼手。槳手每人持一支短槳，隨了鼓聲緩促爲節拍把船向前划去。帶頭的坐在船頭上，頭上纏裹着紅布包頭，手上拏兩枝小令旗，左右揮動，指揮船隻的進退。擂鼓打鑼的，多坐在船隻的中部，船一划，「蓬蓬」「鏜鏜」把鑼鼓很單純的敲打起來，爲划槳水手調理下槳節拍，一船快慢既不得不靠鼓聲，故每當兩船競賽到劇烈時，鼓聲如雷鳴，加上兩岸人吶喊助威，便使人想起小說故事上梁紅玉老鸛河水戰時擂鼓，牛臯水擒楊么時也是水戰擂鼓。凡把船划到前面一點的，必可在稅關前領賞，一疋紅布，一塊小銀牌，不拘纏掛到船上某一個人頭上去，皆顯出這一船合作的光榮。好事的軍人，且當每次某一隻船勝利時，必在水邊放些表示勝利慶祝的五百響邊炮。

賽船過後，城中的戍軍長官，爲了與民同樂，增加這個節日的愉快起見，便把綠頭長頸大雄鴨，頸膊上縛了紅布條子，放入河中，儘量讓善於泅水的軍民人等，下水追趕鴨子。不拘誰把鴨子捉到，誰就成爲這鴨子的主人。於是長潭換了新的花樣，水面各處

是鴨子，同時各處有追趕鴨子的人。

船與船的競賽，人與鴨子的競賽，直到天晚方能完事。

掌水碼頭的龍頭大哥順順，年青的時節便是一個泅水的高手，入水中去追逐鴨子，在任何情形下總不落空。但一到次子儺送年過十歲，已能入水閉氣氽着到鴨子身邊，再忽然冒水而出，把鴨子捉到，這作爸爸的便解嘲似的向孩子們說：「好，這種事你們來作，我不必再下水了。」於是當眞就不下水與人來競爭捉鴨子。但下來救人呢，又作別論。凡幫助人遠離患難，便是入火，人到八十歲，也還是成爲這個人一種不可逃避的責任！

天保、儺送兩人皆是當地泅水划船的好選手。

端午節快來了，初五划船，河街上初一開會，就決定了屬於河街的那隻船當天入水。天保恰好在那天應向上行，隨了陸路商人過川東龍潭送節貨，故參加的就只儺送。十六個結實如牛犢的小夥子帶了香、燭、邊炮，同一個用生牛皮蒙好繪有朱紅太極圖的高腳鼓，到了擱船的河流上游山洞邊燒了香燭，把船拖入水後，各人上了船，燃着邊炮，擂着鼓，這船便如一枝箭似的，很迅速的向下游長潭射去。

那時節還是上午，到了午後，對河漁人的龍船也下了水，兩隻龍船就開始預習種種

競賽的方法。水面上第一次聽到了鼓聲，許多人從這鼓聲中，感到了節日臨近的歡悅。住在臨河吊腳樓上對遠方人有所等待的，有所盼望的，也莫不因鼓聲而想到遠方人，在這個節日裏，必然有許多船隻可以趕回，也有許多船隻只合在半路過節，這之間，便有些眼目所難見的人事哀樂，在這小山城河街間，讓一些人嬉喜，也讓一些人皺眉！

「蓬蓬」鼓聲掠水越山到了渡船頭那裏時，最先注意到的是那隻黃狗。那黃狗「汪汪」的吠着，受了驚似的繞屋亂走，有人過渡時，便隨船渡過東岸去，且跑上那小山頭向城裏一方面大吠。

翠翠正坐在門外大石上用棕葉編蚱蜢蜈蚣玩，見黃狗先在太陽下睡着，忽然醒來便發瘋似的亂跑，過了河又回來，就問牠罵牠：

「狗，狗，你做什麼！不許這樣子！」

可是一會兒那聲音被她發現了，她於是也繞屋跑着，且同黃狗一塊兒過了小溪，站在小山頭聽了許久，讓那點迷人的鼓聲，把自己帶到一個過去的節日裏去。

四

這是兩年前的事。五月端陽，渡船頭祖父找人作了替身，便帶了黃狗同翠翠進城，到大河邊去看划船。河邊站滿了人，四隻朱色長船在潭中滑着，龍船水剛剛漲過，河中水皆豆綠色，天氣又那麼明朗，鼓聲「蓬蓬」響着，翠翠抿着嘴一句話不說，心中充滿了不可言說的快樂。河邊人太多了一點，各人皆儘張着眼睛望河中，不多久，黃狗還留在身邊，祖父却擠得不見了。

翠翠一面注意划船，一面心想：「過不久祖父總會找來的。」但過了許久，祖父還不來，翠翠便稍稍有點兒着慌了。先是兩人同黃狗進城前一天，祖父就問翠翠：「明天城裏划船，倘若你一個人去看，人多怕不怕？」翠翠就說：「人多我不怕，但自己只是一個人可不好玩。」於是祖父想了半天，方想起一個住在城中的老熟人，趕夜裏到城裏去商量，請那老人來看一天渡船，自己却陪翠翠進城玩一天。且因爲那人比渡船老人更孤單，身邊無一個親人，也無一隻狗，因此便約好了那人早上過家中來喫飯，喝一杯雄黃酒。第二天那人來了，喫了飯，把職務委託那人以後，翠翠等便進了城。到路上時，祖父想起什麼似的，又問翠翠：「翠翠，翠翠，人那麼多，好熱鬧，你一個人敢到河邊

看龍船嗎？」翠翠說：「怎麼不敢？可是一個人玩有什麼意思。」到了河邊後，長潭裏的四隻紅船，把翠翠的注意力完全佔去了，身邊祖父似乎也可有可無了。祖父心想：「時間還早，到收場時，至少還得三個時刻。溪邊的那個朋友，也應當來看看年青人的熱鬧，回去一趟，換換地位還趕得及。」因此就告翠翠，「人太多了，站在這裏看，不要動，我到別處去有點事情，無論如何總趕得回來伴你回家。」翠翠正在爲兩隻競速並進的船迷着，祖父說的話毫不思索就答應了。祖父知道黃狗在翠翠身邊，也許比他自己在她身邊還穩當，於是便回家看船去了。

祖父到了那渡船處時，見代替他的老朋友，正站在白塔下注意聽遠處鼓聲。

祖父喊叫他，請他把船拉過來，兩人渡過小溪仍然站到白塔下去。那人問老船夫爲什麼又跑回來，祖父就說想替他一會兒，故把翠翠留在河邊，自己趕回來，好讓他也過大河邊去看看熱鬧，且說：「看得好，就不必再回來，只須見了翠翠告她一聲，翠翠到時自會回家的，小丫頭不敢回家，你就伴她走走！」但那替手對於看龍船已無什麼興味，却願意同老船夫在這溪邊大石上各自再喝兩杯燒酒。老船夫聽說十分高興，於是把酒葫蘆取出，推給城中來的那一個。兩人一面談些端午舊事，一面喝酒，不到一會，那人却在巖石上被燒酒醉倒了。

人既醉倒後，無從入城，祖父爲了責任又不便與渡船離開，留在河邊的翠翠便不能不着急了。

河中划船的決了最後勝負後，城裏軍官已派人駕小船在潭中放了一羣鴨子，祖父還不見來。翠翠恐怕祖父也正在什麼地方等着她，因此帶了黃狗向各處人叢中擠着去找尋祖父，結果還是不得祖父的蹤跡。後來看看天快要黑了，軍人抗了長櫈出城看熱鬧的，皆已陸續抗了過櫈子回家。潭中的鴨子只剩下三五隻，捉鴨人也漸漸的少了。落日向上游翠翠家中那一方落去，黃昏把河面裝飾了一層薄霧。翠翠望到這個景緻，忽然起了一個怕人的想頭，她想：「假若爺爺死了？」

她記起祖父囑咐她不要離開原來地方那一句話，便又爲自己解釋這想頭的錯誤，以爲祖父不來必是進城去或到什麼熟人處去，被人拉著喝酒，故一時不能來的。正因爲這也是可能的事，她又不願在天未斷黑以前，同黃狗趕回家去，只好站在那石碼頭邊等候祖父。

再過一會，對河那兩隻長船已泊到對河小溪裏去不見了，看龍船的人也差不多全散了。弔腳樓有娼妓的人家，已上了燈，且有人敲小斑鼓彈月琴唱曲子。另外一些人家，又有猜拳行酒的吵嚷聲音。同時停泊在弔腳樓下的一些船隻，上面也有人在擺酒炒菜，

把青菜蘿蔔之類，倒進滾熱油鍋裏去時發出吵——的聲音。河面已朦朦矓矓，看去好像只有一隻白鴨在潭中浮着，也只剩一個人追着這隻鴨子。

翠翠還是不離開碼頭，總相信祖父會來找她一起回家。

弔腳樓上唱曲子聲音熱鬧了一些，只聽到下面船上有人說話，一個水手說：「金亭，你聽你那婊子陪川東莊客喝酒唱曲子，我賭個手指，說這是她的聲音！」另外一個水手就說：「她陪他們喝酒唱曲子，心裏可想我。她知道我在船上！」先前那一個又說：「身體讓別人玩着，心還想着你；你有什麼憑據？」另一個說：「我有憑據。」於是這水手吹着唿哨，作出一個古怪的記號，一會兒，樓上歌聲便停止了，兩個水手皆笑了。兩人接着便說了些關於那個女人的一切，使用了不少粗鄙字眼，翠翠不很習慣把這種話聽下去，但又不能走開。且聽水手之一說樓上那婦人的爸爸是在棉花坡被人殺死的，一共殺了十七刀，翠翠心中那個古怪的想頭：「爺爺死了呢？」便仍然佔據到心裏有一忽兒。

兩個水手還正在談話，潭中那隻白鴨慢慢的向翠翠所在的碼頭邊游過來，翠翠想：「再過來些我就捉住你！」於是靜靜的等着，但那鴨子將近岸邊三丈遠近時，却有個人笑着，喊那船上水手。原來水中還有個人，那人已把鴨子捉到手，却慢慢的「踹水」游近岸邊的。船上人聽到水面的喊聲，在隱約裏也喊道：「二老，二老，你眞幹，你今得

了五隻罷？」那水上人說：「這傢伙狡猾得很，現在可歸我了。」「你這時捉鴨子，將來捉女人，一定有同樣的本領。」水上那一個不再說什麼，手腳並用的拍着水傍了碼頭。濕淋淋的爬上岸時，翠翠身旁的黃狗，彷彿警告水中人似的，「汪汪」的叫了幾聲，那人方注意到翠翠，碼頭上已無別的人，那人問：

「是誰人？」

「是翠翠！」

「翠翠又是誰？」

「是碧溪岨撑渡船的孫女。」

「你在這兒做什麼？」

「我等我爺爺。我等他來。」

「等他來他可不會來，你爺爺一定到城裏軍營裏喝了酒，醉倒後被人擡囘去了！」

「他不會這樣子，他答應來找我，他就一定會來的。」

「這里等也不成，到我家裏去，到那邊點了燈的樓上去，等爺爺來找你好不好？」

翠翠誤會了邀他進屋裏去那個人的好意，心裏記着水手說的婦人醜事，她以爲那男子就是要她上有女人唱歌的樓上去，本來從不罵人，這時正因等候祖父太久了，心中焦

急得很，聽人要他上去，以爲欺侮了她，就輕輕的說：

「悖時砍腦殼的！」

話雖輕輕的，那男的却聽得出，且從聲音上聽得出翠翠年紀，便帶笑說：「怎麼，你駡人！你不願意上去，要躭在這兒，回頭水裏大魚來咬了你，可不要叫喊！」

翠翠說：「魚咬了我也不管你的事。」

那黃狗好像明白翠翠被人欺侮了，又「汪汪」的吠起來，那男子把手中白鴨舉起，向黃狗嚇了一下，便走上河街去了。黃狗爲了自己被欺侮還想追過去，翠翠便喊：「狗，狗，你叫人也要看人叫！」翠翠意思彷彿只在告訴狗「那輕薄男子還不值得叫」，但男子聽去的却是另外一種好意，男的以爲是她要狗莫向好人亂叫，放肆的笑着，不見了。

又過了一陣，有人從河街拏了一個廢纜做成的火炬，喊叫着翠翠的名字來找尋她，到身邊時翠翠却不認識那個人。那人說：老船夫回到家中，不能來接她，故搭了過渡人口信來告翠翠，要她即刻就回去。翠翠聽說是祖父派來的，就同那人一起回家，讓打火把的在前引路，黃狗時前時後，一同沿了城牆向渡口走去。翠翠一面走一面問那拿火把的人，是誰告他就知道她在河邊。那人說這是二老告他的，他是二老家裏的夥計，送翠翠回家後還得回轉河街。

翠翠說：「二老他怎麼知道我在河邊？」

那人便笑着說：「他從河裏捉鴨子回來，在碼頭上見你，他說好意請你上家裏坐坐，等候你爺爺，你還罵過他！你那隻狗不識呂洞賓，只是叫！」

翠翠帶了點兒驚訝輕輕的問：「二老是誰？」

那人也帶了點兒驚訝說：「二老你還不知道？就是我們河街上的儺送二老！就是岳雲！他要我送你回去！」

儺送二老在茶峒地方不是一個生疏的名字！

翠翠想起自己先前罵人那句話，心裏又喫驚又害羞，再也不說什麼，默默的隨了那火把走去。

翻過了小山岨，望得見對溪家中火光時，那一方面也看見了翠翠方面的火把，老船夫即刻把船拉過來，一面拉船一面啞聲兒喊問：「翠翠，翠翠，是不是你？」翠翠不理會祖父，口中却輕輕的說：「不是翠翠，不是翠翠，翠翠早被大河裏鯉魚喫去了。」翠翠上了船，二老派來的人，打著火把走了，祖父牽着船問：「翠翠，你怎麼不答應我，生我的氣了嗎？」

翠翠站在船頭還是不作聲。翠翠對祖父那一點兒埋怨，等到把船拉過了溪，一到了

家中，看明白了醉倒的另一個老人後，就完事了。但另一件事，屬於自己不關祖父的，卻使翠翠沉默了一個夜晚。

五

兩年日子過去了。

這兩年來兩個中秋節，恰好無月亮可看，凡在這邊城地方，因看月而起整夜男女唱歌的故事，皆不能如期舉行，故兩個中秋留給翠翠的印象，極其平淡無奇。兩個新年雖照例可以看到軍營裏與各鄉來的獅子龍燈，在小教場迎春，鑼鼓喧天很熱鬧。到了十五夜晚，城中舞龍耍獅子的兵士，還各自赤裸着肩髆，往各處去歡迎炮仗烟火。城中軍營裏稅關局長公館，河街上一些大字號，莫不頭先截老毛竹筒，或鏤空棕櫚根樹株，用洞硝拌和礦炭鋼砂，一千搥八百搥把烟火做好。好勇取樂的軍士，光赤着個上身，玩着燈打着鼓來了，小邊炮如落雨的樣子，從懸到長竿尖端的空中落到玩燈人的肩背上，鑼鼓催動急促的拍子，大家皆為這事情十分興奮。鞭炮放過一陣後，用長櫈腳綁着的大筒烟火，在敞坪一端燃起了引綫，先是「嗞嗞」的流瀉白光，慢慢的這白光便吼嘯起來，作出如雷如虎驚人的聲音，白光向上空衝去，高至二十丈，下落時便灑散着滿天花雨。玩燈的兵士，在火花中繞着圈子，儼然毫不在意的樣子。翠翠同他的祖父，也看過這樣的熱鬧，留下一個熱鬧的印象，但這印象不知為什麼原因，總不如那個端午所經過的事情

甜而美。

翠翠爲了不能忘記那件事，上年一個端午又同祖父到城邊河街去看了半天船，一切玩得正好時，忽然落了行雨，無人衣衫不被雨溼透，爲了避雨，祖孫二人同那隻黃狗，走到順順吊腳樓上去，擠在一個角隅裏。有人抗櫈子從身邊過去，翠翠認得那人正是去年打了火把送她回家的人，就告給祖父：

「爺爺，那個人去年送我回家，他拏了火把走路時，眞像嘍囉！」

祖父當時不作聲，等到那人回頭又走過面前時，就一把抓住那個人，笑嘻嘻說：

「嗨嗨，你這個嘍囉！要你到我家喝一杯也不成，還怕酒裏有毒，把你這個眞命天子毒死！」

那人一看是守渡船的，且看到了翠翠，就笑了：「翠翠，你長大了！二老說你在河邊大魚會喫你，我們這里河中的魚，現在吞不下你了。」

翠翠一句話不說，只是抿起嘴唇笑着。

這一次雖在這嘍囉長年口中聽到個「二老」名字，却不曾見及這個人，從祖父與那長年談話裏，翠翠聽明白了二老是在下游六百里外靑浪灘過端午了。但這次不見二老却認識了「大老」，且見着了那個一地出名的順順。大老把河中的鴨子捉回家裏後，因爲

守渡船的老傢伙稱讚了那隻肥鴨兩次，順順就要大老把鴨子給翠翠。且知道祖孫二人所過的日子十分拮据，節日裏自己不能包粽子，又送了許多三角粽。

那水上名人同祖父談話時，翠翠雖裝作眺望河中景緻，耳朵却把每一句話聽得清清楚楚。那人向祖父說翠翠長得很美，問過翠翠年紀，又問有沒有人家。祖父則很快樂的誇獎了翠翠不少，且似乎不許別人來關心翠翠的婚事，故一提到這件事便閉口不談。

回家時，祖父抱了那隻白鴨子同別的東西，翠翠打火把引路。兩人沿城牆腳走去，一面是城，一面是水。祖父說：「順順眞是個好人，大方得很。大老很好。這一家人都好！」翠翠說：「一家人都好，你認識他們一家人嗎？」祖父不明白這句話的意思所在，因爲今天太高興一點，便笑着說：「翠翠，假若大老要你做媳婦，請人來做媒，你答應？」翠翠就說：「爺爺，你瘋了！再說我就生你的氣！」

祖父話雖不再說了，心中却很顯然的還轉着這可笑的不好的念頭。翠翠着了惱，把火炬向路兩旁亂晃着，向前快快的走去了。

「翠翠，莫鬧，我摔到河裏去，鴨子會走脫的！」

「誰也不希罕那隻鴨子！」

祖父明白翠翠爲什麼事不高興，便唱起搖櫓人駛船下灘時催櫓的歌聲，聲音雖然啞

沙沙的，字眼兒却穩穩當當毫不含糊。翠翠一面聽着一面向前走去，忽然停住了發問：

「爺爺，你的船是不是正在下青浪灘呢？」

祖父不說什麼，還是唱着，兩人皆記起順順家二老的船正在青浪灘過節，但誰也不明白另外一個人的記憶所止處。祖孫二人便沉默的一直走還家中。到了渡口，那代理看船的，正把船泊在岸邊等候他們。幾人渡過溪到了家中剝棕子喫，到後那人要進城去，翠翠趕卽爲那人點上火把，讓他有火把照路。人過了小溪上小山時，翠翠同祖父在船上望着，翠翠說：

「爺爺，看嘍囉上山了啊！」

祖父把手攀引着横纜，注目溪面升起的薄霧，彷彿看到了什麼東西，輕輕的吁了一口氣。祖父靜靜的拉船過對岸家邊時，要翠翠先上岸去，自己却守在船邊，因爲過節，明白一定有鄉下人從城裏看龍船，還得乘黑趕回家鄉。

六

白日裏，老船夫正在渡船上，同個賣皮紙的過渡人有所爭持。一個不能接受所給的錢，一個却非把錢送給老人不可。正似乎因爲那個過渡人送錢氣派，使老船夫受了點壓迫，這撑渡船人就儼然生氣似的，迫着那人把錢收回，使這人不得不把錢捏在手裏。但船攏岸時，那人跳上了碼頭，一手銅錢向船艙一撒，却笑迷迷的忽忽忙忙走了。老船夫手還得拉着船讓別一個人上岸，無法去追趕那個人，就喊在小山頭的孫女：

「翠翠，翠翠，爲我拉着那個賣皮紙的小夥子，不許他走！」

翠翠不知道是怎麼回事，當眞便同黃狗去攔着那第一個下山人。那人笑着說：

「不要攔我！……」

正說着，第二個商人趕來了，就告給翠翠是什麼事情。翠翠明白了，更緊拉着賣紙人衣服不放，只說：「不許走！不許走！」黃狗爲了表示同主人意見一致，也便在翠翠身邊「汪汪汪」吠着。其餘商人皆笑着，一時不能走路。祖父氣吁吁的趕來了，把錢強迫塞到那人手心裏，且搭了一大束草烟到商人的担子上去，搓着兩手笑着說：「走呀！你們上路走！」那些人於是全笑着走了。

翠翠說：「爺爺，我還以爲那人偷你東西同你打架！」

祖父就說：

「他送我好些錢，我纔不要這些錢；告他不要錢，他還同我吵，不講道理！」

翠翠說：「全還給他了嗎？」

祖父抿着嘴把頭搖搖，閉上一隻眼睛，裝成狡猾得意的神氣笑着，把扎在腰帶上留下的那枝單銅子取出，送給翠翠。且說：

「他得了我們那把烟葉可以喫到鎮算城！」

遠遠鼓聲又「蓬蓬」的響起來了，黃狗張着兩眼耳朵聽着。翠翠問祖父，聽不聽到什麼聲音。祖父一注意，知道是什麼聲音了，便說：

「翠翠，端午又來了。你記不記得去年天保大人送你那隻肥鴨子。早上大老同一羣人上川東去，過渡時還問你。你一定忘記那次落的行雨。我們這次若去，又得打火把回家；你記不記得我們兩人用火把照路回家？」

翠翠還正想起兩年前端午的一切事情哪。但祖父一問，翠翠却微帶點兒惱着的神氣，把頭搖搖，故意說：「我記不得，我記不得。我全記不得！」其實她那意思就是「我怎麼記不得？」

祖父明白那話裏意思，又說：「前年還更有趣，你一個人在河邊等我，差點兒不知道回來，天夜了，我還以爲大魚會喫掉你！」

提起舊事，翠翠嗤的笑了。

「爺爺，你還以爲大魚會喫掉我？是別人家說我，我告給你的！你那天只是恨不得讓城中的那個爺爺把裝酒的葫蘆喫掉！你這種人，好記性！」

「我人老了，記性也壞透了。翠翠，現在你人長大了，一個人一定敢上城去看船不怕魚喫掉你了。」

「人大了就應當守船呢。」

「人老了纔應當守船。」

「人老了應當歇憩！」

「你爺爺還可以打老虎，人不老！」祖父說着，於是，把膀子彎曲起來，努力使筋肉在局束中顯得又有力又年青，且說：「翠翠，你不信，你咬。」

翠翠睨着腰背微駝的祖父，不說什麼話。遠處有吹哨吶的聲音，她知道那是什麼事情，且知道哨吶方向。要祖父同她下了船，把船拉過家中那邊岸旁去。爲了想早早的看到那迎婚送親的喜轎，翠翠還爬到屋後塔下去眺望。過不久，那一夥人來了，兩個吹哨

吶的，四個强壯鄉下漢子，一頂空花轎，一個穿新衣的團總兒子模樣的青年，另外還有兩隻羊；一個牽羊的孩子，一罎酒，一盒糍糖；一個担禮物的人。一夥人上了渡船後，翠翠同祖父也上了渡船，祖父拉船，那翠翠却傍花轎站定，去欣賞每一個人的臉色與花轎上的流蘇。攏岸後，團總兒子模樣的人，從扣花抱肚裏掏出了一個小紅紙包封，遞給老船夫。這是當地規矩，祖父再不能說不接收了。但得了錢後祖父却說話了，問那個人，新娘是什麼地方人，明白了，又問姓什麼，明白了，又問多大年紀，一起皆弄明白了，吹哨吶的一上岸後又把哨吶嗚喇喇吹起來，一行人便翻山走了。祖父同翠翠留在船上，感情彷彿皆追着那哨吶聲音走去，走了很遠的路方回到自己身邊來。

祖父掂着那紅紙包封的分量說：「翠翠，宋家堡子裏新嫁娘年紀還只十五歲。」

翠翠明白祖父這句話的意思所在，不作理會，靜靜的把船拉動起來。

到了家邊，翠翠跑還家中去取小小竹子做的雙管哨吶，請祖父坐在船頭吹「娘送女」曲子給她聽，她却同黃狗躺到門前大岩石上的蔭處，看天上的雲。白日漸長，不知什麼時節祖父睡着了，翠翠同黃狗也睡着了。

七

到了端午。祖父同翠翠在三天前業已預先約好：祖父守船，翠翠同黃狗過順順弔腳樓去看熱鬧。翠翠先不答應，後來答應了。 但過了一天， 翠翠又翻悔回來，以爲要看兩人去看，要守船兩人守船。祖父明白那個意思，是翠翠玩心與愛心相戰爭的結果。爲了祖父的牽絆，應當玩的也無法去玩，這不成！祖父含笑說：「翠翠，你這是爲什麼？說定了的又翻悔，同茶峒人平素品德不相稱。我們應當說一是一，不許三心二意。我記性並不壞到這樣子，把你答應了我的即刻忘掉！」祖父雖那麼說，很顯然的事，祖父對於翠翠的打算是同意的。但人太乖巧，祖父有點愀然不樂了，見祖父不再說話，翠翠就說：「我走了，誰陪你？」

祖父說：「你走了，船陪我。」

翠翠把一對眉毛皺攏去苦笑着，「船陪你，嗨，嗨，船陪你。」

祖父心想：「你總有一天會要走的！」但不敢提起這件事。祖父一時無話可說，於是走過屋後塔下小圃裏去看葱，翠翠跟過去。

「爺爺，我決定不去，要去讓船去，我替船陪你！」

「好，翠翠，你不去我去，我還得戴了朵紅花，裝老太婆去見世面！」

兩人皆爲這句話笑了許久。所爭持的事，不求結論了

祖父理葱，翠翠却摘了一根大葱吹着，有人在東岸喊過渡，翠翠不讓祖父佔先，便忙着跑下去，跳上了渡船，援着横溪纜子拉船過溪去接人。一面拉船一面喊祖父：

「爺爺，你唱，你唱！」

祖父不唱，却只站在高岩上望翠翠，把手搖着，一句話不說。

祖父有點心事。

翠翠一天比一天大了，無意中提到什麼時，會紅臉了。時間在成長她，似乎正催促她，使她在另外一件事情上負點兒責。她歡喜看撲粉滿臉的新嫁娘，歡喜述說關於新嫁娘的故事，歡喜把野花戴到頭上去，還歡喜聽人唱歌。茶峒人的歌聲，纏綿處她已領畧得出。她有時彷彿孤獨了一點，愛坐在岩石上去，向天空一片雲一顆星凝眸。祖父若問：「翠翠，想什麼？」她便帶着點兒害羞情緒，輕輕的說：「翠翠不想什麼。」但在心裏却同時又自問：「翠翠，你想什麼？」同是自己也就在心裏答着：「我想的很遠，很多。可是我不知想些什麼！」她的確在想，又的確連自己也不知在想些什麼。這女孩子身體既發育得很完全，在本身上因年齡自然而來的一件「奇事」，到月就來，也使她

多了些思索。

祖父明白這類事情對於一個女子的影響，祖父心情也變了些。祖父是一個在自然裏活了七十年的人，但在人事上的自然現象，就有了些不能安排處。因爲翠翠的長成，使祖父記起了些舊事，從掩埋在一大堆時間裏的故事中重新找回了些東西。

翠翠的母親，某一時節原同翠翠一個樣子。眉毛長，眼睛大，皮膚紅紅的，也乖得使人憐愛——也懂在一些小處起眼動眉毛，機伶懂事，使家中長輩快樂。也彷彿永遠不會同家中這一個分開。但一點不幸來了，她認識了那個兵。到末了丟開老的和小的，却陪了那個兵死了。這些事從老船夫說來誰也無罪過，只應「天」去負責。翠翠的祖父口中不怨天，心中却不能完全同意這種不幸的安排。到底還像年青人，說是放下了，也正是不能放下的莫可奈何容忍的一件事！

並且那時有個翠翠。如今假若翠翠又同媽媽一樣，老船夫的年齡，還能把小雛兒再撫育下去嗎？人願意的事神却不同意！人太老了，應當休息了，凡是一個良善的中國鄉下人，一生中生活下來所應得到的勞苦與不幸，業已全得到了。假若另外高處有一個上帝，這上帝且有一雙手支配一切，很明顯的事，十分公道的辦法，是應當把祖父先收回去，再來讓那個年青的在新的生活上得到應該接受的那一份。

可是祖父並不那麼想。他爲翠翠担心。有時便躺到門外岩石上，對着星子想他的心事。他以爲死是應當快到了的，正因爲翠翠人已長大了，證明自己也眞正老了。可是無論如何，得讓翠翠有個着落。翠翠既是她那可憐的母親交給他的，翠翠大了，他也得把翠翠交給一個人，他的事纔算完結！翠翠應當交給誰？必需什麼樣的人方不委屈她？

前幾天順順家天保大老過溪時，同祖父談話，這心直口快的青年人，第一句話說：

「老伯伯，你翠翠長得眞標緻，像個觀音樣子，再過兩年，若我有閒空能留在茶峒照料事情，不必像老鴉成天到處飛，我一定每夜到這溪邊來爲翠翠唱歌。」

祖父用微笑獎勵這種自白。一面把船拉動，一面把那雙小眼睛瞅着大老。意思好像說，你的儍話我全明白，我不生氣，你儘管說下去，看你還有什麼要說。

於是大老又說：

「翠翠太嬌了，我担心她只宜於聽點茶峒人的歌聲，不能作茶峒女子做媳婦的一切正經事。我要個能聽我唱歌的情人，却更不能缺少個照料家務的媳婦。『又要馬兒不喫草，又要馬兒走得好』，唉，這兩句話恰是古人爲我說的！」

祖父慢條斯理把船轉了頭，讓船尾傍岸，就說：

「大老，也有這種事兒！你瞧着罷。」

那青年走去後，祖父温習着那些出於一個男子口中的眞話，實在又愁又喜。翠翠若應當交把一個人，這個人是不是適宜於照料翠翠？當眞交把了他，翠翠是不是願意？

八

初五大清早落了點毛毛雨，河上游且漲了點「龍船水」，河水已變作豆綠色。祖父上城買辦過節的東西，戴了個粽粑葉「斗篷」，携帶了一個籃子，一個裝酒的大葫蘆，肩頭上掛了個鞊褳，其中放了一弔六百制錢，就走了。因爲是節日，這一天從小村小寨帶了銅錢擔了貨物上城去辦貨掉貨的極多，這些人起身也極早，故祖父走後，黃狗就伴同翠翠守船。翠翠頭上戴了一個嶄新的斗篷，把過渡人一趟一趟的送來送去。黃狗坐在船頭，每當船攏岸時必先跳上岸邊去銜繩頭，引起每個過渡人的興味。過渡的鄉下人也有携了狗上城，照例如俗話說的：「狗離不得屋」，這些狗一離了自己的家，即或傍着主人，也變得非常老實了，到過渡時，翠翠的狗必走過去嗅嗅，從翠翠方面討取了一個眼色，似乎明白翠翠的意思，就不敢有什麼舉動。直到上岸後，把拉繩子的事情作完，眼見到那隻陌生的狗上小山去了，也必跟着追去，或者向狗主人輕輕吠着，接着又逐着那陌生的狗跑，必得翠翠帶點兒嗔惱的嚷着：「狗，狗，你狂什麼？還有事情做，你就跑呀！」於是這黃狗趕快跑回船上來，依然滿船聞嗅不已。翠翠說：「這算什麼輕狂舉動！跟誰學得的！還不好好蹲到那邊去！」狗儼然極其懂事，便即刻到牠自己原來地方

去，只間或又像想起什麼心事似的，輕輕的吠幾聲。

雨落個不止，溪面一片烟。翠翠在船上無事可作時，便算着老船夫的行程。她知道他這一去應在什麼地方碰到什麼人，談些什麼話，這一天城門邊應當是些什麼情形，河街上應當是些什麼情形，「心中一本册」，她完全如同親眼見到的那樣明明白白。她又知道祖父的脾氣，一見到城中相熟糧子上人物，不管是馬夫火夫，總會把過節時應有的頌祝說出。這邊說：「副爺，你過節喫飽喝飽！」那一個便也將說：「划船的，你喫飽喝飽！」如果這邊說着如上的話，那邊人却說，「有什麼可以喫飽喝飽？四兩肉，兩碗酒，既不會飽也不會醉！」那麼，祖父必很誠實邀請這熟人過碧溪岨喝個夠量。倘若有人當時就想喝一口祖父葫蘆中的酒，這老船夫也從不吝嗇，必很快的就把葫蘆遞過去。酒喝過後，那兵營中人捲舌子舔着嘴唇，稱讚酒好，於是又必被勒迫着喝第二口。酒在這種情形下少起來了，就又跑到原來舖上去，加滿爲止。翠翠且知道祖父還會到碼頭上去，同剛攏岸一天兩天的上水船的水手談談話，問問下河的米價鹽價，有時且彎着腰鑽進那帶有海帶魷魚味，以及其他油味，醋味，柴烟味的船艙裏去，水手們從小罈中抓出一把紅棗給老船夫，過一陣，等到祖父回家被翠翠埋怨時，這紅棗便成爲祖父與翠翠和解的工具。祖父一到河街上，且一定有許多鋪子上商人送他粽子與其他東西，作爲對這

個忠於職守的划船人一點敬意，祖父雖嚷着：「我帶了那麼一大堆，回去會把老骨頭壓斷」。可是不管如何，這些東西多少總得領點情。走到賣肉案桌邊去，他想「買肉」，人家却照例不願接錢。屠戶若不接錢，他却寧可到另外一家去，決不想沾那點便宜。那屠戶說，「爺爺，你爲人那麼硬算什麼？又不是要你去做犁口耕田！」但不行，他以爲這是血錢，不比別的事情，你不收錢他會把錢預先算好，猛的把錢擲到大而長的錢筒裏去，攫了肉就走開。賣肉的明白他那種性情，到他稱肉時總選取最好的一處，且把份量故意加多，他見及時却將說：「大老闆，我不要你那些好處！腿上的肉是城裏人炒鱿魚肉絲用的，莫同我開玩笑！我要夾項肉，我要濃的，糯的，我是個划船人，我要拿去燉胡蘿蔔喝酒的！」得了肉，把錢交過手時，自己先數一次，又囑咐屠戶再數，屠戶却照例不理會他，把一手錢嘩的向長竹筒口丟去，他於是簡直是嫵媚的微笑着走了。屠戶與其他買肉人，見到他這種神氣，必笑個不止。……

翠翠還知道祖父必到河街上順順家裏去。

翠翠溫習着兩次過節兩個日子裏所見所聞的一切，心中很快樂，好像目前有一個東西，同早間在牀上閉了眼睛所看到那種捉摸不定的黃葵花一樣，這東西彷彿很明朗的在眼前，却看不準，抓不住。

翠翠想：「白鷄關眞出老虎嗎？」她不知道為什麼忽然想起白鷄關。白鷄是酉水中部的一個地名，離茶峒兩百多里路！

於是又想：「三十二個人搖六匹櫓，上水走風時張起個大篷，一百幅白布拼成的一片東西，坐在這樣大船上過洞庭湖，多可笑……」她不明白洞庭湖有多大，也從來沒有見過這種大船。更可笑的，還是她自己也不知道為什麼却想起這個問題！

一羣過渡人來了，有担子，有送公事跑差模樣的人物，另外還有母女二人。母親穿了新漿洗得硬朗的藍布衣服，女孩子臉上塗着兩餅紅色，穿了不甚稱身的新衣，上城到親戚家中去拜節看龍船的。等待衆人上船穩定後，翠翠一面望着那個小女孩，一面把船拉過溪去。那小孩從翠翠估來年紀也將十二歲了，神氣却很嬌，似乎從來沒有離開過母親。脚下穿的是一雙尖尖頭新油過的釘鞋，上面沾污了些黃泥，袴子是那種翻紫的葱綠布做的，見翠翠儘是望她，她也便看着翠翠，眼睛光光的如同兩粒水晶球。神氣有點害羞，有點不自在，同時也有點不可言說的愛好。那母親模樣的婦人便問翠翠，年紀有幾歲。翠翠笑着，不高興答應，却反問小女孩今年幾歲，聽那母親說十三歲時，翠翠忍不住笑了。那母女顯然是財主人家的妻女，從神氣上就可看出的。翠翠注視那女孩，發現了女孩子手上還帶得一副有麻花鉸的銀手鐲，閃着白白的亮光，心中有點兒羡慕。

船傍岸後，人陸續上了岸，婦人從身上摸出一把銅子，塞到翠翠手中，就走了。翠翠當時竟忘了祖父的規矩，也不道謝，也不把錢退還，只望着這一行人中的那個女孩子身後發癡。一行人正將翻過小山時，翠翠忽又急忽忽的追上去，在山頭上把錢還給那婦人。那婦人說：「這是送你的！」翠翠不說什麼，只微笑把頭儘搖，表示不能接受，且不等婦人來得及說第二句話，就很快的向自己渡船邊跑去了。

到了渡船上，溪那邊又有人喊過渡，翠翠把船又拉回去。第二次過渡是七個人，又有兩個女孩子，也同樣因爲看龍船特意換了乾淨衣服，像貌却並不如何美觀，因此使翠翠更不能忘記先前那一個。

今天過渡的人特別多，其中女孩子比平時更多，翠翠既在船上拉纜子擺渡，故見到什麼好看的，極古怪的 人乖的，眼睛眶子紅紅的，莫不在記憶中留下個印象。無人過渡時，等着祖父又不來，便儘只反複温習這些女孩子的神氣。且輕輕的無所謂的唱着：

「白鷄關出老虎咬人，不咬別人，團總的小姐派第一。……大姐戴副金簪子，二姐戴副銀釧子，只有我三妹莫得什麼戴，耳朵上長年戴條豆芽菜。」

城中有人下鄉的，在河街上一個酒店前面，曾見及那個撑渡船的老頭子，把葫蘆嘴推讓給一個年青水手，請水手喝他新買的白燒酒，翠翠問及時，那城中人就告給她所見

到的事情。翠翠笑祖父的慷慨不是時候，不是地方。過渡人走了，翠翠就在船上又輕輕的哼着巫師迎神的歌玩：

你大仙，你大神，睜眼看看我們這里！
他們既誠實，又年青，又身無疾病，
他們大人會喝酒，會作事，會睡覺，
他們孩子能長大，能耐飢，能耐冷，
他們牯牛肯耕田，山羊肯生仔，鷄鴨肯孵卵，
他們女人會養兒子，會唱歌，會找她心中歡喜的情人！
你大神，你大仙，排駕前來站兩邊！
關夫子身跨赤兔馬，
尉遲公手拏大鐵鞭！
你大仙，你大神，雲端下降慢慢行！
張果老驢上得坐穩，
鐵拐李腳下要小心！
福祿綿綿是神恩，

和風和雨神好心

好酒好飯當前陳，

肥猪肥羊火上烹！

洪秀全，李鴻章，

你們在生是霸王，

殺人放火盡節全忠各有道，

今來坐席又何妨！

慢慢喫，慢慢喝，

月白風清好過河！

醉時攜手同歸去，

我當爲你再唱歌！

那首歌聲音既極柔和，快樂中又微帶憂鬱。唱完了這歌，翠翠心上覺得有一絲兒凄涼。她想起秋末酬神還願時田坪中的火燎同鼓角。

遠處鼓聲已起來了，她知道繪有朱紅長線的龍船這時節已下河了，細雨還依然落個不止，溪面一片烟。

九

祖父回家時，大約已將近平常喫早飯時節了，肩上手上全是東西，一上小山頭便喊翠翠，要翠翠拉船過小溪來迎接他。翠翠眼看到多少人皆進了城，正在船上急得莫可奈何，聽到祖父的聲音，精神旺了，銳聲答着：「爺爺，爺爺，我來了！」老船夫從碼頭邊上了渡船後，把肩上手上的東西擱到船頭上，一面幫着翠翠拉船，一面向翠翠笑着，如同一個小孩子，神氣充滿了謙虛與羞怯。「翠翠，你急壞了，是不是？」翠翠本應埋怨祖父的，但她却回答說：「爺爺，我知道你在河街上勸人喝酒，好玩得很。」翠翠還知道祖父極高興到河街上去玩，但若如此說出來，將更使祖父害羞亂嚷了，故不提出。

翠翠把擱在船頭的東西一一估記在眼裏，不見了酒葫蘆。翠翠嗤的笑了。

「爺爺，你倒大方，請副爺同船上人喫酒，連葫蘆也讓他們喫到肚裏去了！」

祖父笑着忙作說明：

「那里，那里，我那葫蘆被順順大哥扣下了，他見我在河街上請人喝酒，就說：『喂，喂，擺渡的張橫，這不成的，你不開糟坊，如何這樣子。你要作仁義大哥梁山好漢，把你那個放下來，請我全喝了罷。』他當眞那麼說，『請我全喝了罷。』我把葫蘆

放下了。但我猜想他是同我鬧着玩的。他家裏少燒酒嗎？翠翠，你說，是不是？……」

「爺爺，你以爲人家眞想喝你的酒便是同你開玩笑嗎？」

「那是什麼的？」

「你放心，人家一定因爲你請客不是地方，所以扣下你的葫蘆，不讓你請人把酒喝完。等等就會派毛夥爲你送來的，你還不明白，眞是！——」

「唉，當眞會是這樣的！」

說着船已攏了岸，翠翠搶先幫祖父搬東西回家，但結果却只拿了那尾魚，那個花褡褳；褡褳中錢已用光了，却有一包白糖，一包芝麻小餅子。

兩人剛把新買的東西搬運到家中，對溪就有人喊過渡，祖父要翠翠看着肉菜免得被野貓拖去，爭先下溪去做事，一會兒，便同那個過渡人嚷着到家中來了。原來這人便是送酒葫蘆的。只聽到祖父說：「翠翠，你猜對了。人家當眞把酒葫蘆送來了！」

翠翠來不及向竈邊走去，祖父同一個年紀青青的臉黑肩膊寬的人物，便進到屋裏了。

翠翠同客人皆笑着，讓祖父把話說下去。客人又望着翠翠笑，翠翠彷彿明白爲什麼被人望着，有點不好意思起來，走到竈邊燒火去了。溪邊又有人喊過渡，翠翠趕忙跑出

門外船上去，把人渡過了溪。恰好又有人過溪。天雖落小雨，過渡人却分外多，一連三次。翠翠在船上一面作事一面想起祖父的趣處。不知怎麼的，從城裏被人打發來送酒葫蘆的，她覺得好像是個熟人。可是眼睛裏像是熟人，却不明白在什麼地方見過面。但也正像是不肯把這人想到某方面去，方猜不着這來人的身份。

祖父在岩坎上邊喊：「翠翠，翠翠，你上來歇歇，陪陪客！」本來無人過渡便想上岸去燒火，但經祖父一喊，反而不上岸了。

來客問祖父：「進不進城看船？」老渡船夫就說：「應當看守渡船。」兩人又談了些別的話，到後來來客方言歸正傳：

「伯伯，你翠翠像個大人了，長得很好看！」

撐渡船的笑了。「口氣同哥哥一樣，倒爽快呢。」這樣想着，却那麼說：「二老，這地方配受人稱讚的只有你，人家都說你好看！『八面山的豹子，地地溪的錦鷄，』全是特爲頌揚你這個人好處的警句！」

「但是，這很不公平。」

「很公平的！我聽着船上人說，你上次押船，船到三門下面白鷄關灘口出了事，從急浪中你援救過三個人。你們在灘上過夜，被村子裏女人見着了，人家在你棚子邊唱歌

一整夜，是不是眞有其事？」

「不是女人唱歌一夜，是狼嗥。那地方著名多狼，只想得機會喫我們！我們燒了一大堆火，嚇住了牠們，纔不被喫！」

老船夫笑了，「那更妙！人家說的話還是很對的。狼是只喫姑娘，喫小孩，喫十八歲標緻青年的，像我這種老骨頭，牠不要喫，只嗅一嗅就會走開的！」

那二老說：「伯伯，你到這里見過兩萬個日頭，別人家全說我們這個地方風水好，出大人，不知爲什麼原因，如今還不出大人？」

「你是不是說風水好應出有大名頭的人？我以爲這種人，不生在我們這個小地方，也不礙事。我們有聰明、正直、勇敢、耐勞的年青人，就夠了。像你們父子兄弟，爲本地方增光彩已經很多很多！」

「伯伯，你說得好，我也是那麼想。地方不出壞人出好人，如伯伯那麼樣子，人雖老了，還硬朗得同棵楠木樹一樣，穩穩當當的活在這塊地面上，又正經，又大方，難得的咧。」

「我是老骨頭了，還說什麼。日頭，雨水，走長路， 挑分量沉重的担子， 大喫大喝，挨餓受寒，自己份上的都拿過了，不久就會躺到這冰冷土地上餵蛆喫。這世界有的

是你們小夥子份上的一切，應當好好的幹，日頭不辜負你們，我們也莫辜負日頭！」

「伯伯，看你那麼勤快，我們年青人不敢辜負日頭。」

說了一陣，二老想走了，老船夫便站到門口去喊叫翠翠，要她到屋裏來燒水煮飯，掉換他自己看船，翠翠不肯上岸，客人却已下船了，翠翠把船拉動時，祖父故意裝作埋怨神氣說：

「翠翠，你不上來，難道要我在家做媳婦煮飯嗎？」

翠翠斜睨了客人一眼，見客人正盯着她，便把臉背過去，抿着嘴兒，很自負的拉着那條橫纜，船慢慢拉過對岸了。客人站在船頭同翠翠說話：

「翠翠，喫了飯，同你爺爺到我家弔腳樓上去看划船吧？」

翠翠不好意思不說話，便說：「爺爺說不去，去了無人守這個船！」

「你呢？」

「爺爺不去我也不去。」

「你也守船嗎？」

「我陪我爺爺。」

「我要一個人來替你們守渡船，好不好？」

「砰」的一下船頭已撞到岸邊土坎上了，船攏了岸。二老向岸上一躍，站在斜坡上說：

「翠翠，難爲你！……我回去就要人來替你們，你們趕快喫飯，一同到我家裏去看船，今天人多咧，熱鬧咧。」

翠翠不明白這陌生人的好意，不懂得爲什麼一定要到他家中去看船，抿着小嘴笑，就把船拉回去了。到了家中一邊溪岸後，只見那個年青人還站在對溪小山上，好像等待什麼，不立卽走開。回轉家中，翠翠到竈口邊去燒火，一面把帶點濕氣的草塞進竈裏去，一面向正在把客人帶回的那一葫蘆酒試着的祖父詢問：

「爺爺，那人說回去就要人來替你，要我們兩人去看船，你去不去？」

「你高興去嗎？」

「兩人同去我高興。那個人很好，我像認得他，他是誰？」

祖父心想：「這倒對了，人家也覺得你好！」就笑着說：「翠翠，你不記得你前年在大河邊時，有個人說要讓大魚咬你嗎？」

翠翠明白了，却仍然裝不明白問：「他是誰？」

「你想想看，猜猜看。」

「我猜不着他是張三李四。」

「順順船總家的二老，他認識你你不認識他啊！」他抿了一口酒，像讚美這個酒又像讚美另一個人，低低的說：「好的，妙的，這是難得的。」

過渡的人在門外坎下叫喚着，老祖父口中還是「好的，妙的，……」忽忽的下船做事去了。

一〇

喫飯時隔溪有人喊過渡，翠翠搶着下船，到了那邊，方知道原來過渡的人，便是船總順順家派來作替手的水手，這人一見翠翠就說道：「二老要你們一喫了飯就去，他已下河了。」見了祖父又說：「二老要你們喫了飯就去，他已下河了。」

張耳聽聽，便可聽出遠處鼓聲已較繁密，從鼓聲裏使人想到那些極狹的船，在長潭中筆直前進時，水面上畫着如何美麗的長長的綫路！

新來的人茶也不喫，便在船頭站妥了，翠翠同祖父喫飯時，邀他喝一杯，只是搖頭推辭。祖父說：

「翠翠，我不去，你同小狗去好不好？」

「要不去我也不想去！」

「我去呢？」

「我本來也不想去，但我願意陪你去。」

祖父微笑着，「翠翠，翠翠，你陪我去，好的，你就陪我去！」

……

祖父同翠翠到城裏大河邊時，河邊早站滿了人。細雨已經停止，地面還是濕濕的，祖父要翠翠過河街船總家弔腳樓上去看船，翠翠却似乎有心事怕到那邊去，以爲站在河邊較好。兩人雖在河邊站定，不多久，順順便派人來把他們請去了。弔腳樓上已有了很多的人。早上過渡時，爲翠翠所注意的鄉紳妻女，受順順家的款待，佔據了兩個最好窗口，一見到翠翠，那女孩子就說：「你來，你來！」翠翠帶着點兒羞怯走去，坐在他們身邊後的條櫈上，祖父便走開了。

祖父並不看龍船競渡，却爲一個熟人拉到河上游半里路遠近，過一個新碾坊看水碾子去了。老船夫對於水碾子原來就極有興味的。倚山濱水的一座小小茅屋，屋中有那麼一個圓石片子，固定在一個橫軸上，斜斜的擱在石槽裏，當水閘門抽去時，流水衝激地上的暗輪，上面的圓石片便飛轉起來。作主人的管理這個東西，把毛穀倒進石槽中去，把碾好的米弄出放在屋角隔長方籮篩裏，再篩去糠灰。地上全是糠灰，自己頭上包着塊白布帕子，頭上肩上也全是糠灰。天氣好時就在碾坊前後隙地裏種些蘿蔔，青菜，大蒜，四季葱。水溝壞了，就把袴子脫去，到河裏去堆砌石頭，修理洩水處。水碾壩若修築得好，還可裝個小小魚梁，漲小水時就自會有魚上梁來，不勞而獲！在河邊管理一個碾坊比管理一隻渡船多變化，有趣味，情形一看也就明白了。但一個撐渡船的若想有座碾

坊，那箇直是不可能的妄想。凡碾坊照例是屬於當地小財主的產業。那熟人把老船夫帶到碾坊邊時，就告給他這碾坊業主爲誰。兩人一面各處視察一面說話。

那熟人用腳踢着新碾盤說：

「中寨人自己坐在高山砦子上，却歡喜來到這大河邊置產業；這是中寨王團總的，值大錢七百吊！」

老船夫轉着那雙小眼睛，很羡慕的去欣賞一切，估計一切，把頭點着，且對於碾坊中物件一一加以很得體的批評。後來兩人就坐到那還未完功的白木條橈上去，熟人又說到這碾坊的將來，似乎是團總女兒陪嫁的妝奩。那人於是想起了翠翠，且記起大老過去一時託過他的事情來了，便問道：

「伯伯，你翠翠今年十幾歲？」

「滿十四歲進十五歲。」老船夫說過這句話後，便接着在心中計算過去的年月。

「十四歲多能幹！將來誰得她眞有福氣！」

「有什麼福氣？又無碾坊陪嫁，一個光人。」

「別說一個光人，一個有用的人，兩隻手敵得五座碾坊！洛陽橋也是魯班兩隻手造成的！……」這樣那樣的說着，表示對老船夫的抗議，說到後來那人自然笑了。

老船夫也笑了，心想：「翠翠有兩隻手將來也去造洛陽橋罷，新鮮事！」

那人過了一會又說：

「茶峒人年青男子眼睛光，選媳婦也極在行。伯伯，你若不多我的心，我就說個笑話給你聽。」

老船夫問：「是什麼笑話。」

那人說：「伯伯你若不多心時，這笑話也可以當眞話去聽咧。」

接着說下去的就是順順家大老如何在人家面前讚美翠翠，且如何託他來探聽老船夫口氣那麼一件事。末了同老船夫來轉述另一回會話的情形：「我問他：『大老，大老，你是說眞話還是說笑話？』他就說：『你爲我去探聽探聽那老的，我歡喜翠翠，想要翠翠，是眞話呀！』我說：『我這人口鈍得很，說出了口收不回，萬一老的一巴掌打來呢？』他說：『你怕打，你先當笑話去說，不會挨打的！』所以，伯伯，我就把這件眞事情當笑話來同你說了。你試想想，他初九從川東回來見我時，我應當如何回答他？」

老船夫記起前一次大老親口所說的話，知道大老的意思很眞，且知道順順也歡喜翠翠，故心裏很高興。但這件事，照規矩得這個人帶封點心親自到碧溪岨家中去說，方見得愼重其事。老船夫說：「等他來時你說：老傢伙聽過了笑話後，自己也說了個笑話，

他說：『車是車路，馬是馬路，各有走法。大老走的是車路，應當由大老爹爹作主，請了媒人來正正經經同我說；走的是馬路，應當自己作主，站在渡口對溪高崖上，爲翠翠唱三年六個月的歌。』」

「伯伯，若唱三年六個月的歌動得了翠翠的心，我趕明天就自己來唱歌了。」

「你以爲翠翠肯了我還不肯嗎？」

「不咧，人家以爲這件事情你老人家肯了翠翠便無有不肯的。」

「不能那麼說，這是她的事呵！」

「便是她的事情，可是必需老的作主，人家也仍然以爲在日頭月光下唱三年六個月的歌，還不如得伯伯說一句話好！」

「那麼，我說，我們就這樣辦，等他從川東回來時，要他同順順去說個明白，我呢，我也先問問翠翠；若以爲聽了三年六個月的歌再跟那唱歌人走去有意思些，我就請你勸大老走他那彎彎曲曲的馬路。」

「那好的。見了他我就說：『大老，笑話嗎，我已經說過了，眞話呢，看你自己的命運去了。』當眞看他的命運去了，不過我明白他的命運，還是在你老人家手上揑着緊緊的。」

「不是那麼說！我若捏得定這件事，我馬上就答應了你。」

這里兩人把話說妥後，就過另一處看一隻順順新近買來的三艙船去了。河街上順順吊腳樓方面，却有了如下事情。

翠翠雖被那鄉紳女人喊到身邊去坐，地位非常之好，從窗口望出去，河中一切朗然在望，然而心中可不安寧。擠在其他幾個窗口看熱鬧的人，似乎皆常常把眼光從河中景物挪到這邊幾個人身上來。還有些人故意裝成有別的事情樣子，從樓這一邊走過那一邊，事實上却全爲的是好仔細看看翠翠這方面幾個人。翠翠心中老不自在，只想藉故跑去。一會兒河下的炮聲響了，幾隻從對河取齊的船隻，直向這方面划來，先是四條船皆相去不遠，如四枝箭在水面射着，到了一半，已有兩隻船佔先了些，再過一會子，那兩隻船中間便又有一隻超過了並進的船隻而前，看看船到了稅局門前時，第二次炮聲又響，那船便勝利了。這時節勝利的已判明屬於河街人所划的一隻，各處便皆響着慶祝的小鞭炮。那船於是沿了河街吊腳樓划去，鼓聲「蓬蓬」作響，河邊與吊腳樓各處，都同時吶喊表示快樂的祝賀，翠翠眼見在船頭站定搖動小旗指揮進退、頭上包着紅布的那個年青人，便是送酒葫蘆到碧溪岨的二老，心中便印着兩年前的舊事，「大魚喫掉你！」「喫掉不喫掉，不用你這個人管！」「好的，我就不管！」「狗，狗，你也看人叫！」

想起狗，翠翠才注意到自己身邊那隻黃狗，早已不知跑到什麼地方去，便離了坐位，在樓上各處找尋她的黃狗，把船頭人忘掉了。

她一面在人叢裏找尋黃狗，一面聽人家正說些什麼話。

一個大臉婦人問：「是誰家的人，坐到順順家當中窗口前的那塊好地方？」

一個婦人就說：「是砦子上王鄉紳的大姑娘，今天說是自己來看船，其實來看人，同時也讓人看！人家命好，有本領坐那好地方！」

「看誰人，被誰人看？」

「看來你還不明白，那鄉紳想同順順打親家呢。」

「那姑娘配什麼人，是大老，還是二老呢？」

「是二老呀，等等你們看這岳雲，就會上樓來拜他丈母娘的！」

另有一個女人便插嘴說：「事弄成了，好得很呢，人家在大河邊有一座嶄新碾坊陪嫁，比十個長年還好一些。」

有人問：「二老怎麼樣？」

又有人就輕輕的說：「二老已說過了，這不必看，第一件事我就不想作那個碾坊的主人！」

「你聽岳雲二老說過嗎？」

「我聽別人說的。還說二老歡喜一個撐渡船的。」

「他又不是傻小二，不要碾坊，要渡船嗎？」

「那誰知道。橫順人是『牛肉炒韮菜，各人心裏愛。』只看各人心裏愛什麼就喫什麼，渡船不會不如碾坊！」

當時各人眼睛對着河裏，口中說着這些閒話，却無一個人回頭來注意到身後邊的翠翠。

翠翠臉發火燒走到另外一處去，又聽有兩個人提及這件事。且說：「一切早安排好了，只須要二老一句話。」又說：「只看二老今天那麼一股勁兒，就可以猜想得出這勁兒是岸上一個黃花姑娘給他的！」

誰是激動二老的黃花姑娘？

翠翠人矮了些，在人後背已望不見河中的情形，只聽到擂鼓聲漸近漸激，岸上吶喊聲自遠而近，便知道二老的船恰恰經過樓下。樓上人也大喊着，雜夾叫着二老的名字，鄉紳太太那方面，且有人放小百子邊炮。忽然又用另外一種驚訝聲音喊着，同時便見許多人出門向河下走去。翠翠不知出了什麼事，心中有點迷亂，正不知走回原來座位邊

去好，還是依然站在人背後好。只見那邊正有人拿了個托盤，裝了一大盤粽子同細點心，在請鄉紳太太小姐用點心，不好意思再過那邊去，便想也擠出大門外到河下去看看。從河街一個鹽店旁邊甬道下河，正在一排吊腳樓的梁柱間，迎面碰頭一羣人，擁着那個頭包紅布的二老來了。原來二老因失足落水，已從水中爬起來了。路太窄了一些，翠翠雖閃過一旁，與迎面來的人仍然肘子觸着肘子。二老一見翠翠就說：

「翠翠，你來了，爺爺也來了嗎？」

翠翠臉還發着燒不便作聲，心想：「黃狗到什麼地方去了呢？」

二老又說：

「怎不到我家樓上去看呢？我已要人替你弄了個好位子。」

翠翠心想：「碾坊陪嫁，希奇事情咧。」

二老不能逼迫翠翠回去，到後便各自走開了。翠翠到河下時，小小心腔中充滿了一種說不分明的東西。是煩惱吧，不是！是憂愁吧，不是！快樂吧，不，有什麼事情使這個女孩子快樂呢？是生氣了吧，——是的，她當眞彷彿覺得自己是在生一個人的氣，又像是在生自己的氣。河邊人太多了，碼頭邊淺水中，船桅船篷上，以至於吊腳樓的柱子上，無不擠滿了人，翠翠自言自語說：「人那麼多，有什麼三脚貓好看？」先還以爲可以

在什麼船上發現她的祖父，但各處搜尋了一陣，却無祖父的影子。她擠到水邊去，一眼便看到了自己家中那條黃狗，同順順家一個長年，正在去岸數丈的一隻空船上看熱鬧。翠翠銳聲叫喊了兩聲，黃狗張着耳葉昂頭四面一望，便猛的撲下水中，向翠翠方面泅來了。到了身邊時狗身上已全是水，把水抖着且跳躍不已，翠翠便說：「得了，狗，裝什麼瘋。你又不翻船，誰要你落水呢？」

翠翠同黃狗各處找祖父去，在河街上一個木行前恰好遇着了祖父。

老船夫說：「翠翠，我看了個好碾坊，碾盤是新的，水車是新的，屋上稻草也是新的，水壩管着一綹水，急溜溜的，抽水閘板時水車轉得如陀螺。」

翠翠帶着點做作問：「是什麼人的？」

「是什麼人的？住在山上的員外王團總的。我聽人說是那中寨人為女兒作嫁妝的東西，好不濶氣，包工就是七百弔大制錢，還不管風車，不管傢俬！」

「誰討那個人家的女兒？」

祖父望着翠翠乾笑着：「翠翠大魚咬你，大魚咬你。」

翠翠因為對於這件事心中有了個數目，便仍然裝着全不明白，只詢問祖父：「爺爺，什麼人得到那個碾坊？」

「岳雲二老！」祖父說了又自言自語的說：「有人羨慕二老得到碾坊，也有人羨慕碾坊得到二老！」

「誰羨慕呢，祖父？」

「我羨慕。」祖父說着便又笑了。

翠翠說：「爺爺，你喝醉了。」

「可是二老還稱讚你長得美呢。」

翠翠：「爺爺，你瘋了。」

祖父說：「爺爺不醉不瘋，……去，我們到河邊看他們放鴨子去。可惜我老了，不能下水裏去捉隻鴨子回家燜薑喫。」他還想說，「二老捉得鴨子，一定又會送給我們的。」話不及說，二老來了，站在翠翠面前微笑着。翠翠也笑着。

於是三個人回到弔脚樓上去。

二

有人帶了禮物到碧溪岨，掌水碼頭的順順，當眞請了媒人爲兒子向渡船的攀親戚來了。老船夫慌慌張張把這個人渡過溪口，一同到家裏去。翠翠正在屋門前剝豌豆，來了客並不如何注意。但一聽到客人進門說「賀喜賀喜」，心中有事，不敢再蹲在屋門邊，就裝作追趕菜園地的鷄，拿了竹響篙唰唰的搖着，一面口中輕輕喝着，向屋後白塔跑去了。

來人說了些閒話，言歸正傳轉述到順順的意見時，老船夫不知如何回答，只是很驚惶的搓着兩隻繭結的大手，好像這不會眞有其事，而且神氣中好像在說：「那好的，那妙的，」其實這老頭子却不會說過一句話。

來人把話說完後，就問作祖父的意見怎麼樣。老船夫笑着把頭點着說：「大老想走車路，這個很好。可是我得問問翠翠，看她自己主張怎麼樣。」來人被打發走後，祖父在船頭叫翠翠下河邊來說話。

翠翠拿了一簸箕豌豆下到溪邊，上了船，嬌嬌的問他的祖父：「爺爺，你有什麼事？」祖父笑着不說什麼，只偏着個白髮盈額的頭看着翠翠，看了許久。翠翠坐到船

，有點不好意思，低下頭去剝豌豆，耳聽着遠處竹篁裏的黃鳥叫。翠翠想；「日子長咧，爺爺話也長了。」翠翠心輕輕的跳着。

過了一會祖父說；「翠翠，翠翠，先前那個人來作什麼，你知道不知道？」

翠翠說：「我不知道。」說後臉同頸頰全紅了。

祖父看看那種情景，明白翠翠的心事了，便把眼睛向遠處望去，在空霧裏望見了十五年前翠翠的母親，老船夫心中異常柔和了。輕輕的自言自語說：「每一隻船總要有個碼頭，每一隻雀兒得有個巢。」他同時想起那個可憐的母親過去的事情，心中有了一點隱痛，却勉强笑着。

翠翠呢，正從山中黃鳥杜鵑叫聲裏，以及山谷中伐竹人「嚓嚓」一下一下的砍伐竹子聲音裏，想到許多事情：老虎咬人的故事，與人對罵時四句頭的山歌，造紙作坊中的方坑，鐵工場熔鐵爐裏洩出的鐵汁，……耳朵聽來的，眼睛看到的，她似乎都要去温習温習。她所以這樣作，又似乎全只爲了希望忘掉眼前的一椿事而起。但她實在有點誤會了。

祖父說：「翠翠，船總順順家裏請人來作媒，想討你作媳婦，問我願不願。我呢，人老了，再過三年兩載會過去的，我沒有不願意的事情。這是你自己的事．你自己想

想，自己來說。願意，就成了；不願意，也好。」

翠翠不知如何處理這個問題，裝作從容，怯怯的望着老祖父。又不便問什麼，當然也不好回答。

祖父又說：「大老是個有出息的人，爲人正直，又慷慨，你嫁了他，算是命好！」

翠翠弄明白了，人來做媒的是大老！不會把頭擡起，心忡忡的跳着，臉燒得厲害，仍然剝她的豌豆，且隨手把空豆莢抛到水中去，望着它們在流水中從從容容的流去，自己也儼然從容了許多。

見翠翠總不作聲，祖父於是笑了，且說：「翠翠，想幾天不礙事。洛陽橋不是一個晚上造得好的，要日子咧。前次那個人來就向我說起這件事，我已經告訴過他：車是車路，馬是馬路，各有規矩！想爺爺作主，請媒人正正經經來說是車路；要自己作主，站到對溪高崖竹林裏爲你唱三年六個月的歌是馬路，──你若歡喜走馬路，我相信人家會爲你在日頭下唱熱情的歌，在月光下唱溫柔的歌，像隻洋鵲一樣一直唱到吐血喉嚨爛！」

翠翠不作聲，心中只想哭，可是也無理由可哭。祖父還是再說下去，便引到死去了的母親來了。老人話說了一陣，沉默了。翠翠悄悄把頭撂過一些，見祖父眼中業已釀了

一汪眼淚。翠翠又怕，怯生生的說：「爺爺，你怎麼的？」祖父不作聲，用大手掌擦着眼睛，小孩子似的咕咕笑着，跳上岸跑回家中去了。

翠翠心中亂亂的，想趕去却不趕去。

雨後放晴的天氣，日頭炙到人肩上背上已有了點兒力量。溪邊蘆葦、水楊柳，菜園中菜蔬，莫不繁榮滋茂，帶着一分有野性的生氣。草叢裏綠色蚱蜢各處飛着，翅膀搏動空氣時皆熠熠作聲。枝頭新蟬的聲音雖不成腔，却已漸漸宏大。兩山深翠逼人的竹篁中，有黃鳥與竹雀杜鵑交遞鳴叫。翠翠感覺着，望着，聽着，同時也思索着：

「爺爺今年七十歲……三年六個月的歌——誰送那隻白鴨子呢？……得碾子的好運氣，碾子得誰更是好運氣？……」

癡着，忽地站起，半簸箕豌豆便傾倒到水中去了。伸手把那簸箕從水中撈起時，隔溪有人喊過渡。

二

翠翠第二天第二次在白塔下菜園地裏，被祖父詢問到自己主張時，仍然心兒忡忡的跳着，把頭低下不作理會，只顧用手去捏葱。祖父笑着，心想：「還是等等看，再說下去這一坪葱會全掉了。」同時似乎又覺得這其間有點古怪處，不好再說下去，便自己按捺住言語，用一個做作的笑話，把話題引到另外一件事情上去了。

天氣漸漸的越來越熱了。近六月時，天氣熱了些，老船夫把一個滿是灰塵的黑陶缸子，從屋角隅裏搬出，自己還匀出些閒工夫，拼了幾方木板，作成一個圓蓋，又鋸木頭作成一個三脚架子，且削刮了個大竹筒，用葛藤繫定，放在缸邊作爲舀茶的傢具。自從這茶缸移到屋門溪邊後，每天早上翠翠就燒一大鍋開水，倒進那缸子裏去。有時缸裏加些茶葉，有時却只放下一些用火燒焦的鍋巴，趁那東西還燃着時便抛進缸裏去。老船夫且照例準備了些發痧肚痛治疱瘡瘍子的草根木皮，把這些藥擱在家裏當眼處，一見過渡人神氣不對，就忙匆匆的把藥取來，善意的勒迫這過路人使用他的藥方，且告給人這許多救急丹方的來源（這些丹方自然全是他從城中軍醫同巫師學來的）。他終日裸着兩隻膀子，在溪中方頭船上站定，頭上還常常是光光的，一頭短短白髮，在日光下如銀子。

翠翠依然是個快樂人，屋前屋後跑着唱着，不走動時就坐在門前高崖樹蔭下，吹小竹管兒玩。爺爺彷彿把大老提婚的事早已忘掉，翠翠自然也似乎忘掉這件事情了。

可是那做媒的不久又來探口氣了，依然同從前一樣，祖父把事情成否全推到翠翠身上去，打發了媒人上路。回頭又同翠翠談了一次，也依然不得結果。

老船夫猜不透這事情在什麼方面有個疱疸，解除不去，夜裏躺在牀上便常常陷入一種沉思裏去，隱隱約約體會到一件事情，（指體會到翠翠愛二老不愛大老），再想下去便是……想到了這里時，他笑了，爲了害怕而勉强笑了。其實他有點憂愁，因爲他忽然覺到翠翠一切全像她那個母親，而且隱隱約約便感覺到這母女二人共通的命運。一堆過去的事情蓬擁而來，不能再睡下去了，一個人便跑出門外，到那臨溪高崖上去，望天上的星辰，聽河邊紡織娘和一切蟲類如雨的聲音，許久許久還不睡覺。

這件事翠翠自然是注意不及的，這小女孩子日子裏儘管玩着，工作着，也同時爲一些很神秘的東西馳騁她那顆小小的心，但一到夜裏，却甜甜的睡眠了。

不過一切皆得在一份時間中變化。這一家安靜平凡的生活，也因了一堆接連而來的日子，在人事上把那安靜空氣完全打破了。

船總順順家中一方面，則天保大老的事已被二老知道了，儺送二老同時也讓他哥哥

知道了弟弟的心事，這一對難兄難弟原來同時都愛上了那個撑渡船的外孫女。這事情在本地人說來並不希奇，邊地俗話說：「火是各處可燒的，水是各處可流的，日月是各處可照的，愛情是各處可到的。」有錢船總兒子，愛上一個弄渡船的窮人家女兒，不能成爲希罕的新聞。有一點困難處，只是這兩兄弟到了誰應取得這個女人作媳婦時，是不是也還得照茶峒人規矩，來一次流血的掙扎？

兄弟兩人在這方面是不至於動刀的，但也不作與有「情人奉讓」，如大都市懦怯男子愛與仇對面時作出的可笑行爲。

那哥哥同弟弟在河上游一個造船的地方，看他家中那一隻新船，在新船旁把一切心事全告給了弟弟，且附帶說明，這點念頭還是兩年前植下根基的。弟弟微笑着，把話聽下去。兩人從造船處沿了河岸又走到王鄉紳碾坊去，那大哥就說：

「二老，你運氣倒好，作了王團總女壻，有座碾坊，我呢，若把事情弄好了，我應當接那個老的手來划渡船了。我歡喜這個事情，我還想把碧溪岨兩個山頭買過來，在界綫上種一片太南竹，圍着這一條小溪作爲我的砦子！」

那二老仍然默默的聽着，把手中拿的一把彎月形鐮刀隨意斫削路旁的草木，到了碾坊時，却站住了向他哥哥說：

「大老，你信不信這女子心上早已有了個人？」

「我不信。」

「大老，你信不信這碾坊將來歸我？」

「我不信。」

兩人於是進了碾坊。

二老又說：「你不必——大老，我再問你，假若我不想得到這座碾坊，却打量要那隻渡船，而且這念頭也是兩年前的事，你信不信呢？」

那大哥聽來眞着了一驚，望了一下坐在碾盤橫軸上的儺送二老，知道二老不是說謊，於是站近了一點，伸手在二老肩上打了一下，且想把二老拉下來。他明白了這件事，他笑了。他說：「我相信的，你說的全是眞話！」

二老把眼睛望着他的哥哥，很誠實的說：

「大老，相信我，這是眞事。我早就那麽打算到了。家中不答應，那邊若答應了，我當眞預備去弄渡船的！——你告我，你呢？」

「爸爸已聽了我的話，爲我要城裏的楊馬兵做保山，向划渡船說親去了！」大老說到這個求親手續時，好像知道二老要笑他，又解釋要保山去的用意，只是「因爲老的說

車有車路，馬有馬路，我就走了車路。」

「結果呢？」

「得不到什麼結果。老的口上含李子，說不明白。」

「馬路呢？」

「馬路呢，那老的說若走馬路，我得在碧溪岨對溪高崖上唱三年六個月的歌。把翠翠心子唱軟，翠翠就歸我了。」

「這並不是個壞主張！」

「是呀，一個結巴人話說不出，歌還唱得出？可是這件事輪不到我了，我不是竹雀，不會唱歌。鬼知道那老人家存心是要把孫女兒嫁個會唱歌的水車，還是準備規規矩矩嫁個人！」

「那你怎麼樣？」

「我想告那老的，要他說句實在話。只一句話。不成，我跟船下桃源去了；成呢，便是要我撐渡船，我也答應了他。」

「唱歌呢？」

「二老，這是你的拿手好戲，你要去做竹雀你就趕快去罷，我不會檢馬糞塞你嘴巴

的。」

二老看到哥哥那種樣子，便知道爲這件事哥哥感到的是一種如何的煩惱了。他明白他哥哥的性情，代表了茶峒人粗鹵爽直一面，弄得好，掏出心子來給人也很慷慨去作；弄不好，親舅舅也必一是一二是二。大老何嘗不想在車路上失敗時走馬路；但他一聽到二老的坦白陳述後，他就知道馬路只二老有份，他自己的事不能提了。因此他有點氣惱，有點憤慨，自然是無從掩飾的。

二老想出了個主意，就是兩兄弟月夜裏同過碧溪岨去唱歌，莫讓人知道是弟兄兩個，兩人輪流唱下去，誰得到回答，誰便繼續用那張唱歌勝利的嘴唇，服侍那划渡船的外孫女。大老不善於唱歌，輪到大老時也仍然由二老代替。兩人憑命運來決定自己的幸福，這麼辦可說是極公平了。提議時，那大老還以爲他自己不會唱，也不想請二老替他作竹雀。但二老那種詩人性格，却使他很固執的要哥哥實行這個辦法。二老說必需這樣作，一切方公平一點。

大老把弟弟提議想想，作了一個苦笑。「×娘的，自己不是竹雀，還請老弟做竹雀？好，就是這樣子，我們各人輪流唱，我也不要你幫忙，一切我自己來吧。樹林子裏的貓頭鷹，聲音不動聽，要老婆時，也仍然是自己叫下去，不請人幫忙的！」

兩人把事情說妥當後，算算日子，今天十四，明天十五，後天十六，接連而來的三個日子，正是有大月亮天氣。氣候既到了中夏，半夜裏不冷不熱，穿了白家機布汗褂，到那些月光照及的高崖上去，遵照當地的習慣，很誠實與坦白去爲一個「初生之犢」的黃花女唱歌。露水降了，歌聲澀了，到應當回家了時，就趁殘月趕回家去。或過那些熟識的整夜工作不息的碾坊裏去，躺到温暖的谷倉裏小睡，等候天明。一切安排皆極其自然，結果是什麼，兩人雖不明白，但也看得極其自然。兩人便決定了從當夜起始，來作這種爲當地習慣所認可的競爭。

三

黃昏來時，翠翠坐在家中屋後白塔下，看天空被夕陽烘成桃花色的薄雲，十四中寨逢場，城中生意人過中寨收買山貨的很多，過渡人也特別多，祖父在溪中渡船上，忙個不息。天已快夜，別的雀子似乎都要休息了，只杜鵑叫個不息。石頭泥土爲白日曬了一整天，草木爲白日曬了一整天，到這時節皆放散一種熱氣。空氣中有泥土氣味，有草木氣味，且有甲蟲類氣味。翠翠看天上的紅雲，聽着渡口飄鄉生意人的雜亂聲音，心中有些兒薄薄的悽涼。

黃昏照樣的溫柔，美麗和平靜。但一個人若體念到這個當前的一切時，也就照樣的在這黃昏中會有點兒薄薄的悽涼。於是，這日子成爲痛苦的東西了，翠翠覺得好像缺少了什麼；好像眼見到這個日子過去了，想要在一件新的人事上攀住它，但不成；好像生活太平凡了，忍受不住。

「我要坐船下桃源縣過洞庭湖，讓爺爺滿城打鑼去叫我，點了燈籠火把去找我。」

她便像同祖父故意生氣似的，很放肆的去想到這樣一件不可能事情，她且想像她出走後，祖父用各種方法尋覓她皆無結果，到後如何躺在渡船上。

「人家喊『過渡，過渡，老伯伯，你怎麼的！不管事！』『怎麼的！翠翠走了，下桃源縣了！』『那你怎樣辦？』『怎樣辦嗎？拏了把刀，放在包袱裏，搭下水船去殺了她！』……」

翠翠彷彿當眞聽着這種對話似的，嚇怕起來了，一面銳聲喊着她的祖父，一面從坎上跑向溪邊渡口去，見到了祖父正把船拉在溪中心，船上人喁喁說着話，但她小小心子還依然跳躍不已。

「爺爺，爺爺，你把船拉回來呀！」

那老船夫不明白她的意思，還以爲是翠翠要爲他代勞了，就說：

「翠翠，等一等，我就回來！」

「你不拉回來了嗎？」

「我就回來！」

翠翠坐在溪邊，望着溪面爲暮色所籠罩的一切，且望到那隻渡船上一羣過渡人，其中有個吸旱烟的打着火鐮吸烟，把烟桿在船邊剝剝的敲着烟灰，她忽然哭起來了。

祖父把船拉回來時，見翠翠癡癡的坐在岸邊，問她是什麼事，翠翠不作聲，祖父要她去燒火煮飯。想了一會兒，覺得自己哭得可笑，便一個人回到屋中去，坐在黑黝黝的

灶邊把火燒燃後，她又走到門外高崖上去，喊叫她的祖父，要他回到家裏來。在職務上毫不兒戲的老船夫，因爲明白過渡人皆是趕回城中喫晚飯的人，來一個就渡一個，不便要人站在那岸邊獃等，故不上岸來。只站在船頭告翠翠，不要叫他，且讓他做點事，把人渡完後，就會回家裏來喫飯。

翠翠第二次請求祖父，祖父不理會，她坐在懸崖上，很覺得悲傷。

天夜了，有一隻大螢火蟲尾上閃着藍光，很迅速的從翠翠身旁飛過去，翠翠想：「看你飛得多遠？」便把眼睛隨着那螢火蟲的明光追去。「杜鵑」又叫了：

「爺爺，爲什麼不上來？我要你！」

在船上的祖父聽到這種帶着嬌有點兒埋怨的聲音，一面粗聲粗氣的答道：「翠翠，我就來，我就來！」一面心中却自言自語：「翠翠，爺爺不在了，你將怎麼樣？」

老船夫回到家中時，見家中黑黝黝的，只灶間有火光，見翠翠坐在灶邊矮條櫈上，用手蒙着眼睛。

走過去才曉得翠翠已哭了許久。祖父一個下半天來，皆彎着個腰在船上拉來拉去，歇歇時手也酸了，腰也酸了，照規矩，一到家裏就會嗅到鍋中所烤瓜菜的味道，且可看見翠翠安排晚飯在燈光下跑來跑去的影子。今天情形竟不同了一點。

祖父說：「翠翠，我來慢了，你就哭，這還成嗎？我死了呢？」

翠翠不作聲。

祖父又說：「不許哭，做一個大人，不管有什麼事都不許哭，要硬扎一點，結實一點，方配活到這塊土地上！」

翠翠把手從眼睛邊移開，靠近了祖父身邊去，「我不哭了。」

兩人作飯時，祖父爲翠翠述說起一些有趣味的故事。因此提到了死去了的翠翠的母親。兩人在豆油燈下把飯喫過後，老船夫因爲工作疲倦，喝了半碗白酒，因此飯後興緻極好，又同翠翠到門外高崖上月光下去說故事。說了些那個可憐母親的乖巧處，同時且說到那可憐母親性格强硬處，使翠翠聽來神往傾心。

翠翠抱膝坐在月光下，傍着祖父身邊，問了許多關於那個可憐母親的故事。間或吁一口氣，似乎心中壓上了些分量沉重的東西，想挪移得遠一點，才吁着這種氣，可是却無從把那種東西挪開。

月光如銀子，無處不照及，山上篁竹在月光下皆成爲黑色。身邊草叢中蟲繁密如落雨，間或不知道從什麼地方，忽然會有一隻草鶯「嗒嗒嗒嗒嘘！」囀着她的喉嚨，不久之間，這小鳥兒又好像明白這是半夜，不應當那麼吵鬧，便仍然閉着那小小眼兒安睡

了。

祖父夜來興緻很好，爲翠翠把故事說下去，就提到了本城人二十年前唱歌的風氣，如何馳名於川黔邊地。翠翠的父親，便是當地唱歌的第一手，能用各種比喻解釋愛與憎的結子，這些事也說到了。翠翠母親如何愛唱歌，且如何同父親在未認識以前在白日裏對歌，一個在半山上竹篁裏砍竹子，一個在溪面渡船上拉船，這些事也說到了。

翠翠問：「後來怎麼樣？」

祖父說：「後來的事當然長得很，最重要的事情，就是這種歌唱出了你。」

祖父於是沉默了，不曾說「唱出了你後；也就死去了你的父親和母親。」

一四

老船夫做事累了睡了，翠翠哭倦了也睡了。翠翠不能忘記祖父所說的事情，夢中靈魂爲一種美妙歌聲浮起來了，彷彿輕輕的各處飄着，上了白塔，下了菜園，到了船上，又復飛竄過懸崖半腰——去作什麼呢？摘虎耳草！白日裏拉船時，她仰頭望到的那些肥大虎耳草已極熟習。崖懸三五丈高，平時攀摘不到手，這時節却可以選頂大的葉子作傘。

一切皆像是祖父說的故事，翠翠只迷迷胡胡的躺在粗麻布帳子裏的草荐上，這夢做得頂美頂甜；祖父却在牀上醒着，張起兩個耳朵聽對溪高崖上的人唱了半夜的歌。他知道那是誰唱的，他知道是河街上天保大老走馬路的第一著，因此又憂愁又快樂的聽下去。翠翠因爲日裏哭倦了，睡得正好，他就不去驚動她。

第二天，天一亮翠翠同祖父起身了，用溪水洗了臉，把早上說夢的忌諱都去掉了，翠翠趕忙同祖父去說昨晚上所夢的事情。

「爺爺，你說唱歌，我昨天就在夢裏聽到一種頂好聽的歌聲，又輭又纏綿，我像跟了這聲音各處飛，飛到對溪懸崖半腰，摘了一大把虎耳草。得到了虎耳草，我可不知道

把這個東西交給誰去了。我睡得眞好，夢得眞有趣！」

祖父溫和又悲憫的笑着，並不告給翠翠昨天晚上的事。

祖父心裏想：「做夢一輩子更好，還有人在夢裏作宰相咧。」

昨晚上唱歌的，老船夫還以為是天保大老，日來便要翠翠守船，藉故到城裏去送藥，探探情形。在河街見到了大老，就一把拉住那小夥子，很快樂的說：

「大老，你這個人，又走車路又走馬路，是怎樣一個狡猾東西！」

但老船夫卻作錯了一件事情，把昨晚唱歌人「張冠李戴」了。這兩兄弟昨晚上同時到碧溪岨去，為了作哥哥的走車路佔了先，無論如何也不肯先開腔唱歌，一定得讓那弟弟先唱。弟弟一開口，哥哥卻因為明知不是敵手，更不能開口了。翠翠同她祖父晚上聽到的歌聲，便全是那個儺送二老所唱的。大老伴弟弟回家時，就決定了同茶峒地方離開，駕家中那隻新油船下駛，好忘卻了上面的一切。這時正想下河去看新油船裝貨。老船夫見他神情冷冷的，不明白他的意思，就用眉眼做了一個可笑的記號，表示他明白大老的冷淡是裝成的，表示他有好消息可以奉告。他拍了大老一下，翹起一個大拇指，輕輕的說：

「你唱得很好，別人在夢裏聽着你那個歌，為那個歌帶得很遠，走了不少的路！你

是第一號，是我們地方唱歌第一號。」

大老望着弄渡船的老船夫涎皮的老臉，輕輕的說：

「算了吧，你把寶貝女兒送給那會唱歌的竹雀吧。」

這句話使老船夫完全弄不明白他的意思。大老從一個弔脚樓甬道走下河去了，老船夫也跟着下去。到了河邊，見那隻新船正在裝貨，許多油簍子擱在河岸邊。一個水手正用茅草紥成長束，備作船舷上擋浪用的茅把。還有人坐在河邊石頭上，用脂油擦抹着槳板。老船夫問那個水手，這船什麼日子下行，誰押船，那水手把手指着大老。老船夫搓着手說：

「大老，聽我說句正經話，你那件事走車路，不對；走馬路，你有份的！」

那大老把手指着窗口說：「伯伯，你看那邊，你要竹雀做孫女婿，竹雀在那裏啊！」

老船夫擡頭望見二老，正在窗口整理一個魚網。

回碧溪岨到渡船上時，翠翠問：

「爺爺，你同誰吵了架，面色那難看！」

祖父莞爾而笑，他到城裏遇到的事情，不告給翠翠一個字。

一五

大老坐了那隻新油船向下河走去了，留下儺送二老在家。老船夫方面還以爲上次歌聲旣歸二老唱的，在此後幾個日子裏，自然還會聽到那種歌聲。一到了晚間就故意從別樣事情上，促翠翠注意夜晚的歌聲。兩人喫完飯坐在屋裏，因屋前濱水，長脚蚊子一到黃昏就嗡嗡的叫着，翠翠便把蒿艾束成的烟包點燃，向屋中角隅各處晃着驅逐蚊子。晃了一陣，估計全屋子裏已爲蒿艾烟氣薰透了，方把烟包擱到牀前地上去再坐在小板櫈上來聽祖父說話。從一些故事上慢慢的談到了唱歌，祖父話說得很妙。祖父到後發問道：

「翠翠，夢裏的歌可以使你爬上高崖去摘虎耳草，若當眞有誰來到對溪高崖上爲你唱歌，你預備怎麼樣？」祖父把話當笑話說着的。

翠翠便也當笑話答道：「有人唱歌我就聽下去，他唱多久我也聽多久！」

「唱三年六個月呢？」

「唱得好聽，我聽三年六個月。」

「這不大公平罷。」

「怎麼不公平？爲我唱歌的人，不是極願意我長遠聽他唱歌嗎？」

「照理說：『炒菜要人喫，唱歌要人聽。』可是人家爲你唱，是要你懂他歌裏的意思！」

「爺爺：懂歌裏什麼意思？」

「自然是他那顆想同你要好的眞心！不懂那點心，事不是同聽竹雀唱歌一樣嗎？」

「我懂了他的心又怎麼樣？」

祖父用拳頭把自己腿重重的搥着，且笑着：「翠翠，你人乖，爺爺笨得很，話也說得不温柔，莫生氣。我信口開河，說個笑話給你聽。你應當當笑話聽。河街天保大老走車路，請保山來提親，我告給過你這件事了，你那神氣不願意，是不是？可是，假若那個人還有個兄弟，走馬路，爲你來唱歌，向你攀交情，你將怎麼說？」

翠翠喫了一驚，低下頭去。因爲她不明白這笑話究竟有幾分眞，又不清楚這笑話是誰謅的。

祖父說：「你試告我，願意那一個？」

翠翠便勉强笑着，輕輕的帶點兒懇求的神氣說：

「爺爺莫說這個笑話罷。」翠翠站起身了。

「我說的若是眞話呢？」

「爺爺你眞是個……」翠翠說着走出去了。

祖父說：「我說的是笑話，你生我的氣嗎？」

翠翠不敢生祖父的氣，走近門限邊時，就把話引到另外一件事情上去：「爺爺看天上的月亮，那麼大！」說着，出了屋外，便在那一派清光的露天中站定。站了一忽兒，祖父也從屋中出到外邊來了。翠翠於是坐到那白日裏爲强烈陽光曬熱的岩石上去，石頭正散發日間所儲的餘熱。祖父就說：

「翠翠，莫坐熱石頭，免得生坐板瘡。」

但自己用手摸摸後，自己也坐到那岩石上了。

月光極其柔和，溪面浮着一層薄薄白霧，這時節對溪若有人唱歌，隔溪應和，實在太美麗了。翠翠還記着先前祖父說的笑話。耳朵又不聾，祖父的話說得極分明，一個兄弟走馬路，唱歌來打發這樣的晚上，算是怎麼一回事？她似乎爲了等着這樣的歌聲，沉默了許久。

她在月光下坐了一陣，心裏却當眞願意聽一個人來唱歌。久之，對溪除了一片草蟲的清音複奏以外別無所有。翠翠走回家裏去，在房門邊摸着了那個蘆管，拿出來在月光下自己吹着。覺吹得不好，又遞給祖父要祖父吹。老船夫把那個蘆管豎在嘴邊，吹了個

長長的曲子，翠翠的心被吹輭了。

翠翠依傍祖父坐着，問祖父：

「爺爺，誰是第一個做這個小管子的人？」

「一定是個最快樂的人作的，因爲他分給人的也是許多快樂；可又像是個最不快樂的人作的，因爲他同時也可以引起人不快樂！」

「爺爺，你不快樂了嗎？生我的氣了嗎？」

「我不生你的氣。你在我身邊，我很快樂。」

「我萬一跑了呢？」

「你不會離開爺爺的。」

「萬一有這種事，爺爺你怎麼樣？」

「萬一有這種事，我就駕了這隻渡船去找你。」

翠翠嗤的笑了。「鳳灘、茨灘不爲兇，上面還有繞鷄籠；繞鷄籠也容易下，青浪灘浪如屋大。爺爺你渡船也能下鳳灘、茨灘、青浪灘嗎？那些地方的水，你不是說過全是像瘋子，毫不講道理？」

祖父說：「翠翠，我到那時可眞會像瘋子，還怕大水大浪？」

翠翠儼然極認眞的想了一下，就說：「爺爺，我一定不走，可是，你會不會走？你會不會被一個人抓到別處去？」

祖父不作聲了，他想到不犯王法不怕官，只有被死亡抓走那一類事情。

老船夫打量着自己被死亡抓走以後的情形，癡癡的看望天南角上一顆星子，心想：「七月八月天上方有流星，人也會在七月八月死去吧？」又想起白日在河街上同大老談話的經過，想起中寨人陪嫁的那座碾坊，想起二老，想起一大堆事情，心中有點兒亂。

翠翠忽然說：「爺爺，你唱個歌給我聽聽，好不好？」

祖父唱了十個歌，翠翠傍在祖父身邊，閉着眼睛聽下去，等到祖父不作聲時，翠翠自言自語說：「我又摘了一把虎耳草了。」

祖父所唱的歌原來便是那晚上聽來的歌。

一六

二老有機會唱歌却從此不再到碧溪岨唱歌。十五過去了，十六也過去了，到了十七，老船夫忍不住了，進城往河街去找尋那個年青小夥子，到城門邊正預備入河街時，就遇着上次爲大老作保山的楊馬兵，正牽了一匹騾馬預備出城，一見老船夫，就拉住了他：

「伯伯，我正有事情告你，碰巧你就來城裏！」

「什麼事情？」

「天保大老坐下水船到茨灘出了事，閃不知這個人掉到灘下漩水裏就淹壞了。早上順順家裏得到這個信息，聽說二老一早就趕去了。」

這個不吉消息同有力巴掌一樣，重重的摑了老船夫那麼一下，他不相信這是當眞的消息。他故作從容的說：

「天保大老淹壞了嗎？從不聞有水鴨子被水淹壞的！」

「可是那隻水鴨子仍然有那麼一次被淹壞了……。我讚成你的卓見，不讓那小子走車路十分順手。」

從馬兵言語上，老船夫還十分懷疑這個新聞，但從馬兵神氣上注意，老船夫却看清楚這是個眞的消息了。他慘慘的說：

「我有什麼卓見可說？這是天意！一切都有天意。……」老船夫說時心中充滿了感情。

特爲證明那馬兵所說的話有多少可靠處，老船夫同馬兵分手後，於是忽忽趕到河街上去。到了順順家門前，正有人燒紙錢，許多人圍在一處說話。擠加進去聽聽，所說的便是楊馬兵提到的那件事。但一到有人發現了身後的老船夫時，大家便把話語轉了方向，故意來談下河油價漲落情形了。老船夫心中很不安，正想找一個比較要好的水手談談。

一會兒船總順順從外面回來了，樣子沉沉的，這豪爽正直的中年人，正似乎爲不幸打倒，努力想掙扎爬起的神氣，一見到老船夫就說：

「老伯伯，我們談的那件事情吹了罷。天保大老已經壞了，你知道了罷。」

老船夫兩隻眼睛紅紅的，把手搓着：「怎麼的，這是眞事！這不會眞事！是昨天，是前天？」

另一個像是趕路，同來報信的，便插嘴說道：「十六中上，船擱到石包子上，船頭

進了水，大老想用篙撇着，人就彈到水中去了。」

老船夫說：「你眼見他下水嗎？」

「我還和他同時下水！」

「他說什麼？」

「什麼都來不及說！這幾天來他都不說話！」

老船夫把頭搖搖，向順順那麼怯怯的瞄了一眼。船總順順像知道他的心中不安處，就說：「伯伯，一切是天，算了吧。這里有大興場人送來的好燒酒，你拿一點去喝罷。」一個伙計用竹筒上了一筒酒，用新桐木葉蒙着筒口，交給了老船夫。

老船夫把酒拏走，到了河街後，低頭向河碼頭走去，到河邊天保大老前天上船處去看看。楊馬兵還在那里放馬到沙地上打滾，自己坐在柳樹蔭下乘涼，老船夫就走過去請馬兵試試那大興場的燒酒，兩人喝了點酒後，興緻似乎好些了，老船夫就告給楊馬兵，十四夜裏二老兩兄弟過碧溪岨唱歌那件事情。

那馬兵聽到後便說：

「伯伯，你是不是以爲翠翠願意二老，應該派歸二老……」

話不說完，儺送二老却從河街下來了。這年青人正像要遠行的樣子，一見了老船夫

就回頭走去，楊馬兵喊他說：「二老，二老，你來，我有話同你說呀！」

二老站定了，很不高興的神氣問馬兵：「有什麼話說？」馬兵望望老船夫，就向二老說：

「你來，有話說！」

「什麼話？」

「我聽人說你已經走了，——你過來我同你說，我不會喫掉你！你什麼時候走？」

那黑臉寬肩膊，樣子虎虎有生氣的儺送二老，勉强似的笑着，到了柳蔭下時，老船夫想把空氣緩和下來，指着河上游遠處那座新碾坊說：「二老，聽人說那碾坊將來是歸你的！歸了你，派我來守碾子，行不行？」

二老彷彿聽不懂這個詢問的用意，便不作聲。楊馬兵看風頭有點兒僵，便說：「二老，你怎麼的，預備下去嗎？」那年青人把頭點點，不再說什麼，就走開了。

老船夫討了個沒趣，很懊惱的趕回碧溪岨去，到了渡船上時，就裝作把事情看得極隨便似的，告給翠翠：

「翠翠，今天城裏出了件新鮮事情，天保大老駕油船下辰州，運氣不好，掉到茨灘淹壞了。」

翠翠因爲聽不懂，對於這個報告最先好像全不在意。祖父又說：

「翠翠，這是眞事。上次來到這里做保山的那個楊馬兵，還說我早不答應親事，極有見識！」

翠翠瞥了祖父一眼，見他眼睛紅紅的，知道他喝了酒，且有了點事情不高興，心中想：「誰撩你生氣？」船到家邊時，祖父不自然的笑着向家中走去，翠翠守船，半天不聞祖父聲息，趕囘家去看看，見祖父正坐在門檻上編草鞋耳子。

翠翠見祖父神氣極不對，就蹲到他身前去。

「爺爺，你怎麼的？」

「天保當眞死了！二老生了我們的氣，以爲他家中出這件事情，是我們分派的！」

有人在溪邊大喊渡船過渡，祖父忽忽出去了。翠翠坐在那屋角隅稻草上，心中極亂，等等還不見祖父囘來，就哭起來了。

一七

祖父似乎生誰的氣，臉上笑容減少了，對於翠翠方面也不大注意了。翠翠像知道祖父已不很疼她，但又像不明白它的眞正原因。但這並不是很久的事，日子一過去，也就好了。兩人仍然划船過日子，一切依舊，惟對於生活，却彷彿什麼地方有了個看不見的缺口，始終無法塡補起來。祖父過河街去仍然可以得到船總順順的款待，但很明顯的事，那船總却並不忘掉死去者死亡的原因。二老出河下辰州走了六百里，沿河找尋那個可憐哥哥的屍骸，毫無結果，在各處稅關上貼下招字，返回茶峒來了。過不久，他又過川東去辦貨，過渡時見到老船夫。老船夫看看那小夥子，好像已完全忘掉了從前的事情，就同他說話。

「二老，大六月日頭毒人，你又上川東去，不怕辛苦！」

「要飯喫，頭上是火也得上路！」

「要喫飯！二老家還少飯喫！」

「有飯喫，爹爹說年青人也不應該在家中白喫不作事！」

「你爹爹好嗎？」

「喫得做得，有什麼不好。」

「你哥哥壞了，我看你爹爹爲這件事情也好像萎悴多了！」

二老聽到這句話，不作聲了，眼睛望着老船夫屋後那個白塔。他似乎想起了過去那個晚上，那件舊事，心中十分惆悵。

老船夫怯怯的望了年青人一眼，一個微笑在臉上漾開。

「二老，我家裏翠翠說，五月裏有天晚上，做了個夢，……」說時他又望望二老，見二老並不驚訝，也不厭煩，於是又接着說：「她夢的古怪，說在夢中被一個人的歌聲浮起來，上對溪懸崖摘了一把虎耳草！」

二老把頭偏過一旁去作了一個苦笑，心中想到「老頭子倒會做作。」這點意思在那個苦笑上，彷彿同樣洩露出來，仍然被老船夫看到了，老船夫顯得有點慌張，就說：「二老，你不相信嗎？」

那年青人說：「怎麼不相信？因爲我做傻子在那邊岩上唱過一晚的歌！」

老船夫被一句料想不到的老實話窘住了，口中結結巴巴的說：「這是眞的……這是假的……」

「怎不是眞的？天保大老的死，難道不是眞的？」

「可是，可是……」

老船夫的做作處，原意只是想把事情弄明白一點，但一起始自己敘述這段事情時，方法上就有了錯處，故反而被二老爺誤會了。他這時正想把那夜的情形好好說出來，船已到了岸邊。二老爺一躍上了岸，就想走去。老船夫在船上顯得更加忙亂的樣子說：

「二老，二老、你等等，我有話同你說，你先前不是說到那個——你做傻子的事情嗎？你並不傻，別人倒當眞爲你那歌弄成傻像！」

那年青人雖站定了，口中却輕輕的說：「得了，夠了，不要說了。」

老船夫說：「二老，我聽說你不要碾子要渡船，這是楊馬兵說的，不是眞的打算罷？」

那年青人說：「要渡船又怎樣？」

老船夫看看二老的神氣，心中忽然高興起來了，就情不自禁的高聲叫着翠翠，要她下溪邊來。可是事不湊巧，不知翠翠是故意不從屋裏出來，還是到別處去了，許久還不見到翠翠的影子，也不聞這個女孩子的聲音。二老等了一會，看看老船夫那副神氣，一句不說，便微笑着大踏步同一個挑担粉條白糖貨物的脚夫走去了。

過了碧溪岨小山，兩人應沿着一條曲曲折折的竹林走去，那個脚夫這時節開了口：

「儺送二老，我看那弄渡船的神氣，很歡喜你！」

二老不作聲，那人就又說道：

「二老，他問你要碾坊還是要渡船，你當眞預備做他的孫女婿，接替他那隻破渡船嗎？」

二老笑了，那人又說：

「二老若這件事派給我，我要那座碾坊。一座碾坊的出息，每天可收七升米，三斗糠。」

二老說：「我回來時和我爹爹去說，爲你向中寨人做媒，讓你得到那座碾坊吧。至於我呢，我想弄渡船是很好的。只是老的爲人彎彎曲曲，不索利，大老是他弄死的。」

老船夫見了二老那麼走去了，翠翠還不出來，心中很不快樂，走回家中看看，原來翠翠並不在家。過一會，翠翠提了個籃子從小山後回來，方知道大清早翠翠已出門掘竹鞭筍去了。

「翠翠，我喊了你好久，你不聽到！」

「做什麼喊我？」

「一個人過渡，……一個熟人，我們談起你，……我喊你你可不答應！」

「是誰？」

「你猜，翠翠。不是陌生人，……你認識他！」

翠翠想起適間從竹林裏無意中聽來的話，臉紅了，半天不說話。

老船夫問：「翠翠，你得了多少鞭筍？」

翠翠把竹籃向地下一倒，除了十來根小小鞭筍外，只是一大把虎耳草。

老船夫望了翠翠一眼，翠翠兩頰緋紅，跑了。

一八

日子平平的過了一個月，一切人心上的病痛，似乎皆在那麼份長長的白日下醫治好了。天氣特別熱，各人皆只忙着流汗，用涼水淘江米酒喫，不用什麼心事，心事在人生活中，也就留不住了。翠翠每天皆到白塔下背太陽的一面去午睡，高處既極涼快，兩山竹篁裏叫得使人發鬆的竹雀，與其他鳥類，又如此之多，致使她在睡夢裏儘爲山鳥歌聲所浮着，做的夢便常是頂荒唐的夢。

這不是人生罪過。詩人們會在一件小事上寫出一整本一整部的詩，雕刻家會在一塊石頭上雕刻出骨肉如生的人像。畫家一撇兒綠，一撇兒紅，一撇兒灰，畫得出一幅一幅帶有魔力的彩畫，誰不是爲了惦着一個微笑的影子，或者一個皺眉的意態，方弄出那麼些古怪成績？翠翠不能用文字，不能用石頭，不能用顏色，把那點心頭上的愛憎移到別一件東西上去，却只讓她的心，在一切頂荒唐事情上馳騁。她從這分隱秘裏，便常常得到又驚又喜的興奮。一點兒不可知的未來，搖撼她的情感極厲害，她無從完全把那種癡處不讓祖父知道。

祖父呢，可以說一切都知道了的。但事實上他又却是個一無所知的人。他明白翠翠

不討厭那個二老，却不明白那小夥子二老近來怎麼樣。他從船總處與二老處，皆碰過了釘子，但他並不灰心。

「要安排得對一點，方合道理，一切有個命！」他那麼想着，就更顯得好事多磨起來了。睁着眼睛時，他做的夢比那個外孫女翠翠便更荒唐更寥濶。

他向各個過渡的本地人打聽二老父子的生活，關切他們如同自己家中人一樣，但也古怪，因此他却怕見到那個船總同二老了。一見他們他就不知說些什麼，只是老脾氣把兩隻手搓來搓去，從容處完全失去了。二老父子方面皆明白他的意思，但那個死去的人，却用一個悽凉的印象鑲嵌到父子心中，兩人便對於老船夫的意思，儼然全不明白似的，一同把日子打發下去。

明明白白夜來並不作夢，早晨同翠翠說話時，那作祖父的會說：

「翠翠，翠翠，我昨晚上做了個好不怕人的夢！」

翠翠問：「什麼怕人的夢？」

就裝作思索夢境似的，一面細看翠翠小臉長眉毛，一面說出他另一時張着眼睛所做的好夢。不消說，那些夢原來都並不是當眞怎樣使人嚇怕的。

一切河流皆得歸海，話起始縱說得極遠，到頭來總仍然是歸到使翠翠紅臉的那件事

情上去。待到翠翠顯得不大高興，神氣上露出受了點小窘時，這老船夫又纔像有了一點兒嚇怕，忙着解釋，用閑話來遮掩自己所話到那問題的原意。

「翠翠，我不是那麼說，我不是那麼說。爺爺老了，糊塗了，笑話多了。」

但有時翠翠却靜靜的把祖父那些笑話糊塗話聽下去，一直聽到後來還抿着嘴兒微笑。

翠翠也會忽然說道：

「爺爺，你眞是有一點兒糊塗！」

祖父聽過了不再作聲，他將說：「我有一大堆心事，」但來不及說，恰好就被過渡人喊走了。

天氣熱了，過渡人從遠處走來，肩上挑的是七十斤担子，到了溪邊，貪凉快不即走路，必蹲在岩石下茶缸邊喝茶，一面與同伴交換吹吹棒烟管，且一面與弄渡船的攀談。許多天上地下子虛烏有的話皆從此說出口來，給老船夫聽到了。過渡人有時還因溪水清潔，就在溪邊洗脚抹澡的，坐得更久話也就更多。祖父把些話轉說給翠翠，翠翠也就學懂了許多事情。貨物的價錢漲落呀，坐轎搭船的用費呀，放木筏的人把他那個木筏從灘上流下時，十來把大招子如何活動呀，在小烟船上喫葷烟，大脚婆娘如何燒烟呀……無

一不備。

儺送二老從川東押物囘到了茶峒。時間已近黃昏了，溪面很寂靜，祖父同翠翠在菜園地裏看蘿蔔秧子，翠翠白日中覺睡久了些，覺得有點寂寞，好像聽人嘶聲喊過渡，就爭先走下溪邊去。下坎時，見兩個人站在碼頭邊斜陽影裏，背身看得極分明，正是儺送二老同他家中的長年，翠翠大喫一驚，同小獸物見到獵人一樣，囘頭便向山竹林裏跑掉了。但那兩個在溪邊的人，聽到脚步響時，一轉身，也就看明白這件事情了。等了一下再也不見人來，那長年又嘶聲音喊叫過渡。

老船夫聽得清清楚楚，却仍然蹲在蘿蔔秧地上數菜，心裏覺得好笑。他已見到翠翠走去，他知道必是翠翠看明白了過渡人是誰，故意蹲在那高岩上不理會。翠翠人小不管事，過渡人求她不幹，奈何她不得，故只好再嘶着個喉嚨叫過渡了。那長年叫了幾聲，見沒有人來，就停了，同二老說：「這是什麼玩意兒， 難道老的害病弄翻了，只剩翠翠一個人了嗎？」二老說：「等等看，不算什麼！」就等了一陣。因爲這邊在靜靜的等着，園地上老船夫却在心裏想：「難道是二老嗎？」他彷彿担心攪惱了翠翠似的，就仍然蹲着不動。

但再過一陣，溪邊又喊起過渡來了，聲音不同了一點，這纔眞是二老的聲音。生氣

了吧？等久了吧？吵嘴了吧？老船夫一面胡亂估着，一面連奔帶竄跑到溪邊去。到了溪邊，見兩個人業已上了船，其中之一正是二老。老船夫驚訝的喊叫：

「呀，二老，你回來了！」

年青人很不高興似的，「回來了，——你們這渡船是怎麼的，等了半天也不來個人！」

「我以爲——」老船夫四處一望，並不見翠翠的影子，只見黃狗從山上竹林要跑來，知道翠翠上山了，便改口說：「我以爲你們過了渡。」

「過了渡！不得你上船，誰敢開船？」那長年說着，一隻水鳥掠着水面飛去，「翠鳥兒歸窠了，我們還得趕回家去喫夜飯！」

「早咧，到河街早咧，」說着，老船夫已跳上了船，且在心中一面說着：「你不是想承繼這隻渡船嗎！」一面把船索拉動，船便離岸了。

「二老，路上累得很！……」

老船夫說着，二老不置可否不動感情聽下去，船攏了岸，那年青小夥子同家中長年話也不說，挑担子翻山走了。那點淡漠印象留在老船夫心上，老船夫於是在兩個人身後，揑緊拳頭威嚇了三下，輕輕的吼着，把船拉回去了。

一九

翠翠向竹林裏跑去，老船夫半天還不下船，這件事從儺送二老看來，前途顯然有點不利。雖老船夫言詞之間，無一句話不在說明「這事有邊」，但那畏畏縮縮的說明，極不得體，二老想起他的哥哥，便把這件事曲解了。他有一點憤憤不平，有一點兒氣惱，回到家裏第三天，中寨有人來探口風，在河街順順家中住下，把話問及順順，想明白二老的心中，是不是還有意接受那座新碾坊。順順就轉問二老自己意見怎麼樣。

二老說：「爸爸，你以爲這事爲你，家中多座碾坊多個人你可以快活，你就答應。若果爲的是我，我要好好去想一下，過些日子再說它吧。我尚不知道我應當得座碾坊，還應當得一隻渡船；因爲我命裏或只許我撐個渡船！」

探口風的人把話記住，回中寨去復命，到碧溪岨過渡時，見到了老船夫，想起二老說的話，不由得不迷迷的笑着。老船夫問明白了他是中寨人，就又問他上城作些什麼事。

那心中有分寸的中寨人說：

「什麼事也不作，只是過河街船總順順家裏坐了一會兒。」

「無事不登三寶殿，坐了一定就有話說！」

「話倒說了幾句。」

「說了些什麼話？」那人不再說了。老船夫却問道：「聽說你們中寨人想把河邊一座碾坊連同家中閨女送給河街上順順，這事情有不有了點眉目？」

那中寨人笑了，「事情成了，我問過順順，順順很願意和中寨人結親家，又問過那小夥子，……」

「小夥子意思怎麼樣？」

「他說：『我眼前有座碾坊，有條渡船，我本想要渡船，現在就決定要碾坊罷。渡船是活動的，不如碾坊固定。』這小子會打算盤呢。」

中寨人是個米場經紀人，話說得極有斛兩，他明知道「渡船」指的是什麼意思，但他可並不說穿。他看到老船夫口脣蠕動，想要說話，中寨人便又搶着說道：

「一切皆是命，半點不由人。可憐順順家那個大老，相貌一表堂堂，會淹死在水裏！」

老船夫被這句話在心上戮了一下，把想問的話咽住了。中寨人上岸走去後，老船夫悶悶的立在船頭，癡了許久。又把二老日前過渡時的冷漠神氣温習一番，心中大不快樂。

翠翠在塔下玩得極高興，走到溪邊高岩上想要祖父唱唱歌，見祖父不理會她，一路埋怨着趕下溪邊去。到了溪邊方見到祖父神氣十分沮喪，可不明白爲什麼原因。翠翠來了，祖父看看翠翠的快活黑臉兒，粗鹵的笑笑。對溪有扛貨物過渡的，便不說什麼，沉默的把船拉過溪南，到了中心却大聲唱起歌來了。把人渡過了溪，祖父跳上碼頭走近翠翠身邊來，還是那麼粗鹵的笑着，把手撫着頭額。

翠翠說：

「爺爺怎麼的，你發痧了？你躺到蔭下去歇歇，我來管船！」

「你來管船，好的妙的，這隻船歸你管！」

老船夫似乎當眞發了痧，心頭發悶，雖當着翠翠還顯出硬扎樣子，獨自走回屋裏後，找尋得到一些碎磁片，在自己臂上腿上扎了幾下，放出了些烏血，就躺到牀上睡了。

翠翠自己守船，心中却古怪的快樂高興，心想：「爺爺不爲我唱歌，我自己會唱！」她唱了許多歌，老船夫躺在牀上閉着眼睛，一句一句聽下去。心中極亂，但他知道這不是能把他打倒的大病，到明天就仍然會爬起來的。他想明天進城，到河街去看看，又想起另外許多旁的事情。

但到了第二天，人雖起了牀，頭還沉沉的。祖父當眞已病了，翠翠顯得懂事了些，爲祖父煎了一罐大發藥，逼着祖父喝，又爲祖父過屋後菜園地裏摘取蒜苗泡在米湯裏作酸蒜苗。一面照料船隻，一面還時時刻刻抽空趕回家裏來看祖父，問這樣那樣。祖父可不說什麼，只是爲一個秘密痛苦着。躺了三天，人居然好了。屋前屋後走動了一下，骨頭還硬硬的，心中惦念到一件事情，便預備進城過河街去。翠翠看不出祖父有什麼要緊事情必須當天入城，請求他莫去。

老船夫把手搓着，估量是不是應說出那個理由。在面前，翠翠一張黑黑的瓜子臉，一雙水汪汪的眼睛，使他吁了一口氣。

他說：「我有要緊事情，得今天去！」

翠翠苦笑着說：「有多大要緊事情，還不是……」

老船夫知道翠翠脾氣，聽翠翠口氣已經有點不高興，不再說要走了，把預備帶走的竹筒，同扣花褡褳擱到長几上後，帶點兒諂媚笑着說：「不去吧，你担心我會把自己摔死，我就不去吧。我以爲天氣早上不很熱，到城裏把事辦完了就回來。……不去也得，我明天去！」

翠翠輕聲的溫柔的說：「你明天去也好，你腿還軟！好好的躺一天再起來！」

老船夫似乎心中還不甘服，灑着兩手走出去，在門限邊一個打草鞋的棒槌，差點兒把他絆了一大跤。穩住了時，翠翠苦笑着說：「爺爺，你瞧，還不服氣！」老船夫拾起那棒槌，向屋角隅摔去，說道：「爺爺老了！過幾天打豹子給你看！」

到了午後，落了一陣行雨，老船夫却同翠翠好好商量，仍然進了城。翠翠不能陪祖父進城，就要黃狗跟去。老船夫在城裏被一個熟人拉着談了許久鹽價米價，又過守備衙門看了一會釐金局長新買的騾馬，方到河街順順家裏去。到了那里，見順順正同三個人打紙牌，不便談話，就站在身後看了一陣牌。後來順順請他喝酒，借口病剛好點不敢喝酒推辭了。牌既不散場，老船夫又不想即走，順順似乎並不明白他等着有何話說，却只注意手中的牌。後來老船夫的神氣倒爲另外一個人看出了，就問他是不是有什麼事情。老船夫方忸忸怩怩照老方子搓着他那兩隻大手，說別的事沒有，就是想同船總說兩句話。

那船總方才明白他在身後看牌半天的理由，回頭對老船夫笑將起來。

「怎不早說？你不說，我還以爲你在看我牌學張子！」

「沒有什麼，只是三五句話，我不便掃興，不敢說出！」

船總把牌向桌上一撒，笑着向後房走去了，老船夫跟在身後。

「什麼事？」船總問着，神氣似乎已經明白了他來此要說的話，顯得畧微有點兒憐憫的樣子。

「我聽一個中寨人說你預備同中寨團總打親家，是不是眞事？」

船總見老船夫的眼睛盯着他的臉，想得一個滿意的回答，就說：「有這事情。」那麼答應，意思却是：「有了你怎麼樣？」

老船夫說：「眞的嗎？」

那一個又很自然的說：「眞的。」意思却依舊包含了「眞的又怎麼樣？」一個疑問。

老船夫裝得很從容的問：「二老呢？」

船總說：「二老坐船下桃源好些日子了！」

二老下桃源的事，原來還同他爸爸吵了一陣方走的。船總性情雖異常豪爽，可不願意間接把第一個兒子弄死的女孩子，又來作第二個兒子的媳婦，這是很明白的事情。若照當地風氣，這些事認爲只是小孩子的大事，大人管不着，二老當眞歡喜翠翠，翠翠又愛二老，他也並不反對這種愛怨糾纏的婚姻。但不知怎麼的，老船夫對於這件事情的關心處，使二老父子對於老船夫反而有了一點誤會。船總想起家庭間的近事，以爲全與這老而好事的船夫有關，雖不見諸形色，心中却有個疙瘩。

船總不讓老船夫再開口了，就語氣畧粗的說道：

「伯伯，算了罷，我們的口祇應當喝酒了，莫再只想替兒女唱歌！你的意思我全明白，你是好意。可是我也求你明白我的意思，我以爲我們只應當談點自己份上的事情，不適宜於去想那些年青人的門路了。」

老船夫被一個悶拳打倒後，還想說兩句話，但船總却不讓他再有說話的機會，把他拉出到牌桌邊去。

老船夫無話可說，看看船總時，船總雖還笑着談到許多笑話，心中却似乎很沉鬱，把牌用力擲到桌上去，老船夫不說什麼，戴起他那個斗笠，自己走了。

天氣還早，老船夫心中很不高興，又進城去找楊馬兵。那馬兵正在喝酒，老船夫雖推病，也免不了喝個三五杯。回到碧溪岨，走得熱了一點，又用溪水去抹身子。覺得很疲倦，就要翠翠守船，自己回家睡去了。

黃昏時天氣十分鬱悶，溪面各處飛着紅蜻蜓。天上已起了雲，熱風把兩山竹篁吹得聲音極大，看樣子到晚上必落大雨。翠翠守在渡船上，看着那些溪面飛來飛去的蜻蜓，心也極亂。看祖父臉上顏色慘慘的，放心不下，便又趕回家中去。先以爲祖父一定早睡了，誰知還坐在門限上打草鞋！

「爺爺，你要多少雙草鞋，牀頭上不是還有十四雙嗎？怎麼不好好的躺一躺？」

老船夫不作聲，却站起身來昂頭向天空望着，輕輕的說：「翠翠，今晚上要落大雨響大雷的！回頭把我們的船繫到岩下去，這雨大哩。」

翠翠說：「爺爺，我眞嚇怕！」翠翠怕的似乎並不是晚上要來的雷雨。

老船夫似乎也懂得那個意思，就說：「怕什麼？一切要來的都得來，不必怕！」

二〇

夜間果然落了大雨挾以嚇人的雷聲。電光從屋脊上掠過時，接着就是訇的一個炸雷。翠翠在暗中抖着，祖父也醒了，知道她害怕，且担心她招涼，還起身來把一條布單搭到她身上去。祖父說：

「翠翠，不要怕！」

翠翠說：「我不怕！」說了還想說：「爺爺你在這里我不怕！」

「轟」的一個大雷，接着是一種超越雨聲而上的洪大悶重傾圮聲。兩人皆以爲一定是溪岸懸崖落了；担心到那隻渡船，會早已壓在崖石下面去了。

祖孫兩人便默默的躺在牀上聽雨聲雷聲。

但無論如何大雨，過不久，翠翠却依然就睡着了。醒來時天已亮了，雨不知在何時業已止息，只聽到溪兩岸山溝裏注水入溪的聲音。翠翠爬起身來看看祖父還似乎睡得很好，開了門走出去，門前已成爲一個水溝，一股濁流便從塔後嘩嘩的流來，從前面懸崖直墮而下。並且各處皆是那麼一種臨時的水道。屋旁菜園地已爲山水衝亂了，菜秧皆掩在粗砂泥裏了。再走過前面去看看溪裏一切，纔知道溪中也漲了大水，已滿過了碼頭，

水脚快到茶缸邊了。下到碼頭去的那條路，正同一條小河一樣，嘩嘩的洩着黃泥水。過渡的那一條橫溪牽定的纜繩，已被水淹去了。泊在崖下的渡船，已不見了。

翠翠看看屋前懸崖並不崩坍，故當時還不注意渡船的失去。但再過一陣，她上下搜索不到這東西，無意中回頭一看，屋後白塔已不見了，一驚非同小可。趕忙向屋後跑去，纔知道白塔業已坍倒，大堆磚石極凌亂的攤在那兒，翠翠嚇慌得不知所措，只銳聲叫她的祖父。祖父不起身，也不答應，就趕回家裏去，到得祖父牀邊搖了祖父許久，祖父還不作聲。原來這個老年人在雷雨將息時已死去了。

翠翠於是大哭起來。

過一陣，有從茶峒過川東跑差事的人，到了溪邊，隔溪喊過溪，翠翠正在灶邊一面哭着一面燒水預備爲死去的祖父抹澡。

那人以爲老船夫一家還不醒，急於過河，喊叫不應，就抛擲小石頭過溪，打到屋頂上。翠翠鼻涕眼淚成一片的走出來，跑到溪邊高崖前站定。

「喂，不早了！把船划過來！」

「船跑了！」

「你爺爺做什麼事情去了呢？他管船，有責任！」

「他管船，管了五十年的船——他死了啊！」

翠翠一面向隔溪人說着一面大哭起來。那人知道老船夫死了，得進城去報信，就說：

「眞死了嗎？不要哭罷，我回城去告他們，要他們弄條船帶東西來！」

那人回到茶峒城邊時，一見熟人就報告這件事，不多久，全茶峒城裏外便皆知道這個消息了。河街上船總順順，派人找了一隻空船，帶了副白木匣子，即刻向碧溪岨撐去。城中楊馬兵却同一個老軍人，趕到碧溪岨去，砍了幾十根大毛竹，用葛藤編作筏子，作爲來往過渡的臨時渡船。筏子編好後，撐了那個東西，到翠翠家中那一邊岸下，留老兵守竹筏來往渡人，自己跑到翠翠家去看那個死者，眼淚溼瑩瑩的，摸了一會躺在牀上硬殭殭的老友，又趕忙着做些應做的事情。到後幫忙的人來了，從大河船上運來的棺木也來了，住在城中的老道士，還帶了許多法寶，一件舊麻布道袍，並提了一隻大公鷄，來盡義務辦理念經起水諸事，也從筏上渡過來了。家中人出出進進，翠翠只坐在灶邊矮櫈上嗚嗚的哭着。

到了中午，船總順順也來了，還跟着一個人抗了一口袋米，一罈酒，大腿豬肉。見了翠翠就說：

「翠翠，爺爺死了我知道了，老年人是必需死的，不要發愁，一切有我！」

各方面看看，就回去了。到了下午入了殮，一些幫忙的回的回家去了，晚上便只剩下了那老道士、楊馬兵，同順順家派來的兩個年青長年。黄昏以前老道士用紅綠紙剪了一些花朵，用黄泥作了一些燭臺。天斷黑後，棺木前小桌上點起黄色九品蠟，燃了香，棺木周圍也點了小蠟燭，老道士披上那件藍麻布道袍，開始了喪事中繞棺儀式。老道士在前拿着個小小紙幡引路，孝子第二，馬兵殿後，繞着那具寂寞棺木慢慢轉着圈子。兩個長年則站在灶邊空處，胡亂的打着鑼鈸。老道士一面閉了眼睛走去，一面且唱且哼，安慰亡靈。提到關於亡魂所到西方極樂世界花香四季時，老馬兵就把木盤裏的紙花，向棺木上高高撒去，象徵這個西方極樂世界的情形。

到了半夜，事情辦完了，放過爆竹，蠟燭也快熄滅了，翠翠眼淚婆娑的，趕忙又到灶邊去燒火，爲幫忙的人辦消夜。喫了消夜，老道士歪到死人牀上睡着了。剩下幾個人還得照規矩在棺木前守夜，老馬兵爲大家唱喪堂歌取樂，用個空的量米木升子，當作小鼓，「剝剝剝」的一面敲着升底一面唱下去——唱王祥臥冰的事情，唱黄香扇枕的事情。

翠翠哭了一整天，也同時忙了一整天，到這時已倦極，把頭靠在棺前迷着了，兩個

長年同馬兵既喫了消夜，喝過兩杯酒，精神還虎虎的，便輪流把喪堂歌唱下去。但只一會兒，翠翠又醒了，彷彿夢到什麽，驚醒後明白祖父已死，於是又幽幽的乾哭起來。

「翠翠，翠翠，不要哭啦，人死了哭不回來的！」

老馬兵接着就說了一個做新嫁娘的人哭泣的笑話，話語中夾雜了三五個粗野字眼兒，因此引起兩個長年咕咕的笑了許久。黃狗在屋外吠着，翠翠開了大門，到外面去站了一會，耳聽到各處是蟲聲，天上月色極好，大星子嵌進透藍的天空裏，非常沉靜溫柔。翠翠想：

「這是眞事嗎？爺爺當眞死了嗎？」

老馬兵原來跟在她的後邊，因爲他知道女孩子心門兒窄，說不定一爐火悶在灰裏，痕跡不露，見祖父去了，自己一切皆已無望，跳崖懸樑，想跟着祖父一塊兒去，也說不定！故隨時小心監視着翠翠。

老馬兵見翠翠癡癡的站着，時間過了許久還不回頭，就打着咳叫翠翠說：

「翠翠，露水落了，不冷麼？」

「不冷。」

「天氣好得很！」

「呀……」一顆大流星使翠翠輕輕的喊了一聲。

接着南方又是一顆流星劃空而下。對溪有貓頭鷹叫。

「翠翠，」老馬兵業已同翠翠並排一塊兒站定了，很溫和的說：「你進屋裏去睡吧，不要胡思亂想！」

翠翠默默的回到祖父棺木前，坐在地上又嗚咽起來。守在屋中兩個長年已睡着了。

那一個馬兵便幽幽的說道：「不要哭了！不要哭了！你爺爺也難過咧。眼睛哭脹喉嚨哭嘶有什麼好處。聽我說，你爺爺的心事我全都知道，一切有我；我會把一切安排得好好的，對得起你爺爺。我會安排，什麼事都會。我要一個爺爺歡喜你也歡喜的人來接收這隻渡船！若不能如我們的意，我雖老，還能拿鐮刀同他們拚命。翠翠，你放心，一切有我！……」

遠處不知什麼地方雞叫了，老道士在那邊牀上胡胡塗塗的自言自語：「天亮了嗎？早咧！」

二

大清早，幫忙的人從城裏拿了繩索扛子趕來了。

老船夫的白木小棺材，爲六個人抬着到那個傾圮了的塔後山岨上去埋葬時，船總順順，馬兵，翠翠，老道士，黃狗，皆跟在後面。到了預先掘就的方穽邊，老道士照規矩先跳下去，把一點硃砂顆粒同白米，安置到穽中四隅及中央，又燒了一點紙錢，爬出穽時就要抬棺木的人動手下葬，翠翠啞着喉嚨乾號，伏在棺木上不起身。經馬兵用力把她拉開，方能移動棺木。一會兒，那棺木便下了穽，拉去了繩子，調整了方向，被新土掩蓋了，翠翠還坐在地上嗚咽。老道士要趕早囘城，去替人做齋，過渡走了。船總事多，把這方面一切事託付給老馬兵，也趕囘城去了。幫忙的皆到溪邊去洗手，家中各人還有各人的事，且知道這家人的情形，不便再叨擾，也不再驚動主人，過渡囘家去了。於是碧溪岨便只剩下三個人，一個是翠翠，一個是馬兵，一個是由船總家派來暫時幫忙照料渡船的禿頭陳四四。黃狗因被那禿頭打了一石頭，懷恨在心，對於那禿頭彷彿很不高興，儘是輕輕的吠着。

到了下午，翠翠同老馬兵商量，要老馬兵囘城去把馬託給營裏人照料，再囘碧溪岨

來陪她。老馬兵回轉碧溪岨時，禿頭陳四四被打發回城去了。

翠翠仍然自己同黃狗來弄渡船，讓老馬兵坐在溪岸高崖上玩，或嘶着個老喉嚨唱歌給她聽。

過三天後船總來商量接翠翠過家裏去住，翠翠却想看守祖父的墳山，不願卽刻進城。只請船總過城裏衙門去爲她說句話，允許楊馬兵暫時同她住住，船總順順答應了這件事，就走了。

楊馬兵既是個上了五十歲的人，說故事的本領比翠翠祖父高一籌，加之凡事特別關心，做事又勤快又乾淨，因此同翠翠住下來，使翠翠彷彿去了一個祖父，却新得了一個伯父。過渡時有人問及可憐的祖父，黃昏時想起祖父，皆使翠翠心酸，覺得十分悽涼。但這份悽涼日子過久一點，也就漸漸淡薄些了。兩人每日在黃昏同晚上，坐在門前溪邊高岩上，談點那個躺在溼土裏可憐祖父的舊事，有許多是翠翠先前所不知道的，說來便更使翠翠心中柔和。又說到翠翠的父親，那個又要愛情又惜名譽的軍人，在當時按照綠營軍勇的裝束，如何使女孩子動心。又說到翠翠的母親，如何善於唱歌，而且所唱的那些歌在當時如何流行。

時代變了，一切也自然不同了，皇帝已不再坐江山，平常人還消說？楊馬兵想起自

己年青作馬夫時，牽了馬匹到碧溪岨來對翠翠母親唱歌，翠翠母親不理會，到如今自己却成爲這孤雛的唯一靠山，唯一信託人，不由得不苦笑！

因爲兩人每個黃昏必談祖父，以及這一家有關係的事情，後來便說到了老船夫死前的一切，翠翠因此明白了祖父活時所不提到的許多事。二老的唱歌，順順大兒子的死，順順父子對於祖父的冷淡，中寨人用碾坊作陪嫁粧奩誘惑儺送二老，二老既記憶着哥哥的死亡，且因得不到翠翠理會，又被家中逼着接受那座碾坊，意思還在渡船，因此抖氣下行，祖父的死因，又如何與翠翠有關……凡是翠翠不明白的事，如今可全明白了。翠翠把事情弄明白後，哭了一個夜晚。

過了四七，船總順順派人來請馬兵進城去，商量把翠翠接到他家中去作爲二老的媳婦。但二老人既在辰州，先就莫提這件事，且搬過河街去住，等二老回來時再看二老的意思。馬兵以爲這件事得問問翠翠。回來時，把順順的意思向翠翠說過後，又爲翠翠出主張，以爲名分既不定妥，到一個生人家裏去不好，還不如在碧溪岨等，等到二老駕船回來時，再看二老意思。

這辦法決定後，老馬兵以爲二老不久必可回來的，就依然把馬匹託營上人照料，在碧溪岨爲翠翠作伴，把一個一個日子過下去。

碧溪岨的白塔，與茶峒風水有關係，塔圮坍了，不重新建一個自然不成。除了城中營管，稅局，以及各商號各平民捐了些錢以外，各大寨子也有人拿冊子去捐錢。爲了建造這個塔並不是只給誰一個人以好處，應儘量讓每一個人皆來積德造福，讓每個人皆有捐錢的機會，因此在渡船上也放了個兩頭有節的大竹筒，中部鋸了一口，讓過渡人自由把錢投進去，竹筒滿了，馬兵就捎進城中首事人處去，另外又帶了個竹筒回來。過渡人一看老船夫不見了，翠翠的辮子上又紮了白綫，就明白那老的已作完了自己份上的工作，安安靜靜躺在土坑裏給小蛆喫掉，必一面用同情的眼色瞧着翠翠，一面就摸出錢來塞到竹筒中去：一天保佑你，死了的到西方去，活下的永保平安。」翠翠明白那些捐錢人的憐憫與同情，心裏酸酸的，忙把身子背過去拉船。

可是到了冬天，那倒圮坍了的白塔，又重新修好了，那個在月下唱歌，使翠翠在睡夢裏爲歌聲把靈魂輕輕浮起的青年人還不曾回到茶峒來。

……

這個人也許永遠不回來了，也許「明天」回來！

二十三年四月十九日完成，廿九年十月四日在昆明重校改

邊城
作者：沈從文
出版：鴻光書店
發行：鴻光書店
地址：葵涌葵豐街25－31號
華業大廈A座9樓K室
電話：24801889
承印：信德印製廠有限公司
地址：葵涌永業街14－20號
華榮工業大廈7樓B
電話：24274281

KU-471-628